Wat is een goede wereld?

Internationalisering in een post-coronasamenleving

9789493146969

AF084257

NL

Inhoudstafel

INLEIDING

Wat is een goede wereld? Internationalisering in een post-coronasamenleving

Waar Errol Boon aan het begin van de coronacrisis al beschrijft dat tijdens deze 'moeilijke tijden' van COVID-19 het ingewikkeld wordt om goed te kunnen reageren met instrumenten en concepten daterend uit een wereld vóór de crisis,[Boon, 2020] daar focus ik mij in deze publicatie op de actualiteit zelve. Juist omdat de werkelijkheid onzeker en verwarrend is maar tegelijkertijd de weg wijst. Volgens Boon is onze vermeende progressie gestopt en de logica van het verleden dus niet langer noodzakelijkerwijs van toepassing op de toekomst. Het is, in andere woorden, ons reactievermogen wat we moeten omarmen: we moeten vanzelfsprekendheden heroverwegen, zo ook onze internationale ambities en verbondenheden. Dit met oog op de toekomst, die ook volgens Edo Dijksterhuis onherroepelijk anders zal zijn.[Dijksterhuis, 2020] De centrale vraag is: Wat leert de crisis ons over de wereld ná vandaag?

Het theoretisch kaderen van het internationaliseringsbegrip voor Artist-in-Residencies heeft de afgelopen maanden geresulteerd in het centraliseren van een zestal deelthema's, namelijk: mentale mobiliteit, fysieke mobiliteit, inclusie, relationele autonomie, (trans)lokaliteit en procesgericht handelen. Deze thema's vormden de basis voor de vragen die besproken zijn in een negental diepte interviews over internationalisering tijdens de coronacrisis en met het oog op een post-coronasamenleving. De gesprekken werden gevoerd in de periode januari t/m maart 2021 met achtereenvolgend: kunstenaar Jeanne van Heeswijk; kunstenaar, curator en schrijver Jack Segbars;

schrijver, onderzoeker en kunstenaar Erik Hagoort; hoogleraar Universiteit Antwerpen en socioloog Pascal Gielen; kunstenaar en coördinator Beeldende Kunst bij de Koninklijke Academie van Beeldende Kunsten Cecilia Bengtsson; componist en oprichter The Turn Club Merlijn Twaalfhoven; directeur Jan van Eyck Academie en curator Hicham Khalidi; kunstenaar, auteur en docent Willem de Kooning Academie reinaart vanhoe en assistent professor Tilburg University Suzanne van der Beek.

De gesprekken vonden plaats in het kader van een onderzoek naar internationalisering bij Brabantse Artist-in-Residencies (AIR's). Deze plekken bieden ruimte waar interactie en intermenselijk contact mogelijk wordt in een veilige context, elders dan thuis. Door toedoen van COVID-19 hebben internationaliseringsambities van AIR's andere vormen aangenomen. Het passeren van grenzen werd vrijwel onmogelijk en plannen werden uitgesteld of aangepast. Naar aanleiding van het zestal centrale thema's in dit onderzoek zijn deze gesprekken geanalyseerd, toeschrijvend naar wat internationalisering in het beeldende kunstlandschap zou kunnen betekenen, in het bijzonder voor AIR's. De thema's hebben in deze gesprekken een zelfstandige waarde verkregen en zijn teruggebracht tot een drietal essays:

1. Internationalisering?
2. Mobiliteit en aanraking
3. Artistieke productie: *intrinsieke* productie

Eén van de begrippen die in deze essays wordt besproken is het tijdens corona nadrukkelijk verkende 'translokale' denken, dat onder andere door Maarten Doorman begin 2020 opnieuw werd ingeluid.[Doorman, 2020] Het begrip levert voor Boon een kader om de door hem beschreven 'gebroken belofte van globalisering' kritisch te heroverwegen, nu internationalisering niet langer een onschuldig ideaal is, maar een onvermijdelijke realiteit.[Boon, 2020] Internationalisering confronteert ons met grote, morele uitdagingen. Die uitdagingen bestaan in deze essays vooral door de ongelijkwaardigheid, klimaat-ongelijkheid en de westers- dominante kunstcanon die met internationalisering samengaan te herover-wegen, om op ontwikkelingen in de huidige wereld te kunnen reageren.

Dijksterhuis beschrijft een toenemende be-hoefte aan contact. Deze behoefte komt niet voort uit een romantische nostalgie die hij ook in het heden herkent (hij laat kort Thierry Baudet de revue passeren), maar ontstaat door het erkennen van een wereld die zich niet aan grenzen houdt: denk aan het virus, maar ook aan migratie.[Dijksterhuis, 2020] Een pleidooi voor translokaliteit tijdens COVID lijkt de grens tussen de globale canon en nationalisme op te willen heffen, waarover Boon al eerder vragen opwerpt als: Hoe blijven we verbonden met mensen over de hele wereld en beschermen we tegelijkertijd het klimaat en de planeet? Hoe zorgen we ervoor dat iemands internationale inspanningen ook inter-nationale uitwisselingen zijn? En hoe regelen we een eerlijke, internationale culturele samenwerking die de structurele machtsverschillen, die onze gegloba-liseerde wereld domineren, niet reproduceert?[Boon, 2020]

Hier ga ik nader op in. Deze publicatie vormt daarmee een gedachte over hoé de crisis onze inter-nationale ambities heroverweegt, uitgaande van de samenleving na COVID – zo die er komt. Het biedt handvatten voor gezamenlijk handelen.

ESSAY 1

ESSAY 1   Internationalisering?

In mijn eerste gesprek, met kunstenaar <u>Jeanne van Heeswijk,</u> wordt duidelijk dat internationalisering belangrijk is voor het uitwisselen van de lokale verzetsvormen in relatie tot globale conflicten, en zo een meer rechtvaardige samenleving te bouwen. Die uitwisseling reikt niet specifiek over landgrenzen of culturen, maar betekent voor Van Heeswijk vooral de verbinding van verschillende gedachtestromen. Daarvoor hoef je niet altijd het vliegtuig te nemen, maar het kennisnemen van elkaars strategieën is wel van groot belang. Daarom erkent Van Heeswijk de waarde van het *live* ontmoeten: op een grond, elders, in de "grijze ruimte die er is als je naar buiten loopt en met iemand staat te kletsen." Het verwelkomen van internationale kunstenaars in Nederland, zoals binnen residenties maar ook bij (post)academies zoals de Jan van Eyck Academie, is bovenal waardevol om fundamenten van een plek elders te kunnen begrijpen.

  Het fysieke ontmoeten en uitwisselen wordt ook door <u>Jack Segbars</u> in de context van de AIR als cruciale waarde onderstreept. De uitwisseling van kunstenaars en het profiteren van elkaars netwerk middels ontmoeting is meerzijdig van belang om buiten de eigen context te kunnen werken in een goed geaccommodeerde residentie. Wanneer ik Segbars vraag naar zijn duiding van het internationaliseringsbegrip in de kunst, stelt hij scherp vast dat het 'Contemporary Art System' "een levendig discours van biënnales en instituten [is dat] gestalte [krijgt] in een discoursproductie en in uitwisseling van kunstenaars die de wereld over reizen. Het kunstbedrijf ís een reizend internationaal circus met sterke uitwisselingen en globaal van aard. De kunst ís internationaal." Segbars verklaart het internationaliseringsbegrip daarmee als zodanig vastgebakken aan het kunstgebouw zoals dat bestaat: een netwerk van internationaal opererende instituties waarbinnen een heftig verkeer van kunstenaars, kennis, curatoren en theoretici plaatsvindt. Een mogelijk risico, indien het te ver doorslaat, ligt hierin besloten: internationalisering als 'vinkje voor beleid'. Met andere woorden: als waardeoordeel *an sich* dat aan het begrip kan worden toegekend door subsidiegevers om te kunnen constateren 'dit is afgestempeld'. Terwijl het in werkelijkheid niet veel voorstelt. Dit waardeoordeel beschrijft <u>Pascal Gielen</u> in een later gesprek als klassieke vorm van symbolisch kapitaal. De 'internationale kunstenaar' wordt geassocieerd met de internationale kunstmarkt die de afgelopen twintig jaar veel erkenning kreeg. "Wie naar het buitenland ging werd meer erkend," zegt Gielen. "Denk aan mooie, anekdotische voorbeelden in Vlaanderen van Jan Fabre die op de Biënnale van Venetië zou staan. Achteraf bleek dat hij voor zichzelf daar een ruimte huurde en vervolgens terugkwam." Internationaal? Het was simpelweg een manier om subsidies te legitimeren. We zien nu een inflatie van het internationale als symbolisch kapitaal, nu internationalisering gangbaar is geworden, concludeert Gielen, denkend aan de studenten op zijn collegebanken met een Erasmusbeurs.

"Het kunstbedrijf ís een reizend internationaal circus met sterke uitwisselingen en globaal van aard. De kunst ís internationaal."
— Jack Segbars

In een opvolgend gesprek wijst <u>reinaart vanhoe</u> mij via Skype op de wereldkaart achter mijn hoofd, die hangt in mijn dagdagelijkse werkplek – de woonkamer. De kaart ziet hij als een metafoor voor een meer overschouwend perspectief op internationalisering. Voor vanhoe is dat noodzakelijk, juist omdat er maar weinig mensen de luxe hebben om er zo naar te kunnen kijken: zonder pijn te voelen.

Onze positie, vanuit de Benelux, is een luxe. Het is noodzakelijk om die eigen (luxe)positie te bekijken en deze beter te leren begrijpen. Internationalisering is in plaats van iets 'halen', 'opsnuiven' of het 'zich in een netwerk van belangrijke instituten plaatsen' bovenal het begrijpen dat kunst niét universeel is. De internationale kunstwereld is een min of meer afgesloten domein met een eigen dominante kunstcanon en taal die <u>Merlijn Twaalfhoven</u> 'Artsperanto' noemt, en duidt als "een gemiddelde taal waarin kunstenaars elkaar wereldwijd snappen; van Zuid-Afrika tot Canada of Japan." Maar die taal is volgens hem onthecht, want toegeschreven aan de kier tussen deze taal en de taal van de wereld buiten kunst. Kunst is, zo vertelt Twaalfhoven, een eigenzinnig systeem dat mensen daarbinnen inspireert, maar het verbindende verhaal naar de samenleving toe is nu hard nodig. In de efficiënte machine van leven waarin specialismen als onderdeeltjes goed geolied samenwerken, mist leven.

De relatie tussen kunst en leven, zoals ook vanhoe die verwoordt, begint met de erkenning dat het *Contemporary Art System* niet voor iedereen begrijpelijk is, het is niet inclusief en daarmee problematisch: we kunnen niet zeggen dat iedereen Van Gogh en diens waarde begrijpt; ook wijzelf – in de kunsten – niet. Zowel binnen de internationale

kunsttaal als buiten de monocultuur die kunst
soms ook illustreert is de relativiteit van taal inherent
aan internationalisering verbonden. We kennen de
bouwstenen van iets of iemand immers vaak niet,
zo legt vanhoe uit. "Als je in een klas zit, op AKV|St.
Joost, of hier in de Willem de Kooning, en je hebt
een internationale groep studenten, dan geven we
heel vaak feedback op iemands werk; maar eigenlijk
hebben we de context helemaal niet. We kennen de
building blocks niet."

**"'Inter' speelt zich *tussen* nationaliteiten af. Het
mooie van het opheffen van grenzen [tussen]
is de idee dat we onder deze grenzen allemaal
hetzelfde zijn."**
— Suzanne van der Beek

Om ons tot die *building blocks* te kunnen verhouden
is het besef nodig dat er, ondanks het gedeelde doel
(om kunst te beoefenen), verschillen bestaan in
de culturele bagage die we met ons meenemen, en
waarin diverse stijlen en geschiedenissen schuilen.
Cecilia Bengtsson: "In Korea [bijvoorbeeld] moeten
ze vooral veel klassiek-technische technieken leren,
maar ze hebben ook een hele sterke conceptuele kant."
Bij internationale uitwisselingen nemen we onderwerpen
en denken over wat beeldende kunst 'is' mee vanaf
ons thuisland, evenals manieren van doen, geschiedenissen en opvattingen over wat belangrijk is om te
leren en over te brengen. Deze influx van verschillende culturen maakt ons rijker. Echter, zo stelt
Bengtsson helder, ligt er ook een valkuil in internationalisering verscholen: "Als je zegt: jij bent zo en zo
omdat jij vanuit dat of dat land komt – dat weten
we helemaal niet." Het proberen om elkaar te begrijp-
en alsof we min of meer dezelfde zijn betekent
voor haar het denken in 'jij bent zo' op te heffen.

Internationalisering moet al met al op een respect-volle en tolerante manier, waar respectvol inherent in verschillende culturen iets anders betekent. "Neem de pauze tussen wanneer jij iets zegt tegen je gespreks-partner en wanneer ik begin te spreken. In Nederland is die heel kort. In Zweden zegt iemand iets, maar gaat eerst inademen: een teken voor iedereen dat hij of zij iets gaat zeggen. Inademen, en dan beginnen met spreken. […] Het gaat om die bewustwording," zegt Bengtsson.

Deze bewustwording en confrontatie bestudeert <u>Suzanne van der Beek</u> in haar onderzoek naar de Camino, de pelgrimage naar Santiago de Compostela. Waar ik haar voorleg om 'inter' als 'tussen' te duiden en Van der Beek instemt met die definitie, gaat het in pelgrimeren juist om het opheffen van een grens. "'Inter' speelt zich *tussen* nationaliteiten af. Het mooie van het opheffen van grenzen [tussen] is de idee dat we onder deze grenzen allemaal hetzelfde zijn," leert Van der Beek. Maar, in lijn met het *Contemporary Art System* zoals door vanhoe als niet inclusief verklaard, steunt ook het kunnen pelgrimeren volgens haar op vermogende westerlingen die twee maanden onbetaald verlof kunnen nemen. "Je bent bijvoorbeeld 'meer pelgrim' als je langer loopt, maar dan moet je wel zo lang vrij kunnen nemen van je werk. Daarom noem ik het een romantisch idee van pelgrim zijn: het is niet altijd de werkelijkheid, het is hoe die wereld functioneert binnen zichzelf." Dit resoneert met hoe de academische wereld rondom Van der Beek werkt: vanuit de idee dat wat er gedaan wordt heel belangrijk is, maar kijkend naar wat de academische wereld bijdraagt aan de wereld buiten het discours, dient het volgens haar met name om het eigen CV te voeden.

De Camino zou in lijn met de AIR vergelijkbaar ge-duid kunnen worden als plek om te ontsnappen aan deze hiërarchie en competitie, in een plek waar gelijk-waardigheid – schouder aan schouder te lopen – geschiedt.

"De kunst is groter dan wat we op dit moment zien en denken. Het centrum verlegt en bijkomend is de vraag wie hiërarchie bepaalt."
— Hicham Khalidi

Hicham Khalidi benadrukt dat internationalisatie zich in zijn praktijk vaak anders toonde voordat hij aantrad als directeur van de Jan van Eyck Academie in Maastricht: "Ik heb in Parijs gewerkt en daar was internationalisatie: grote [bedrijven die] opdrachten geven aan [gevestigde] kunstenaars en die helemaal ontwikkelen samen met de kunstenaar." Maar, de kunst geeft zelf iets anders aan en denkt na over de marginalisatie van structuren en hiërarchie. "De kunst is groter dan wat we op dit moment zien en denken," aldus Khalidi. "Het centrum verlegt en bijkomend is de vraag wie hiërarchie bepaalt." Dit begrip van kunst heeft ook invloed op de Jan van Eyck als academie. Waar de Jan van Eyck gezien en gebruikt kan worden als een plek waar mensen binnenkomen voor hun eigen carrière en waar onder anderen curatoren komen die je verder kunnen helpen, en dus getypeerd kan worden als gericht op de individuele ontwikkeling van de kunstenaar, past Khalidi hiervoor. Hij stelt de context waarbinnen de academie gedijt centraal: dat wat gebeurt *in de wereld*. De aarde vraagt (ook van de kunst) een noodzakelijke inzet op het grootste en meest belangrijke: de ver-lijming van organisaties aan de effecten van het klimaat, lijnend aan het IPPC.

Als ik hem vraag of de coronacrisis nieuw licht heeft geworpen op ons internationaliseringsbegrip, beaamt Khalidi dat. Voor hem is COVID-19 natuurlijk niet iets waar we voor kiezen en de klimaatcrisis evenmin, maar het is een gegeven. We kunnen niet meer zeggen dat we het reizen zo missen. "Tuurlijk mis ik het," vertelt Khalidi resoluut. "Maar we zullen andere manieren moeten ontwikkelen." COVID-19 wijst ons daarmee de weg, wat ook wordt onderstreept door Gielen. Volgens hem leert corona ons stilstaan bij het ecologische aspect van kunst en mobiliteit. Wat wij nu opnemen aan onze voetafdruk geven we uit voor de toekomst. We *moeten* anders gaan reizen. Van Heeswijk ziet de hybride situatie van deze tijd als stuurkracht voor de toekomst. De veranderende verhouding tussen on- en offline samenkomen die deze tijd kenmerkt, en waarom we wel of niet reizen, zijn als vragen urgenter geworden en betekenen onderzoek naar nieuwe koppelingen op grotere schaal. Bijvoorbeeld door langere verblijven te bieden en mensen minder te laten reizen, nieuwe vormen van uitwisseling écht te gaan onderzoeken, of lokaal samen te werken bij de komst van internationale gasten.

      Het voeren van een dialoog op breder niveau, zoals met het ministerie, is van belang omdat klimaat niet alleen voor de kunsten belangrijk is. De veranderende omstandigheden in de wereld dwingen ons tot het denken in mogelijkheden, zo vertelt Khalidi. Gesprekken zijn dit jaar bijvoorbeeld gemakkelijker op afstand te voeren waardoor reistijd alternatief kan worden ingezet. Internationalisering – volgens Khalidi door beleid overwegend geduid als het verlangen naar 'verbinding' – blijft als een lege huls wanneer we vasthouden aan het paradigma dat internationalisering 'uitwisseling' betekent. Denk aan het tellen van vermogende internationale studenten studerend in Nederland, die na ontvangst van hun diploma vertrekken. Is dat waardevol? Nu deze internationale studentenpopulatie reduceert en we elkaar niet meer kunnen zien en aanraken, verandert ons hele denken. De vraag is: Hoe zien we de toekomst?

Dit grotere vraagstuk benadrukt ook <u>Erik Hagoort.</u> Er zijn veel vragen die volgens hem praktisch opkomen dit jaar, welke ook te maken hebben met wat de waarde van een AIR als plek is en wat je daarmee wilt zijn. Naast ecologische bewustwording dwingt de tijd ons na te denken over 'kunstproductie' *an sich,* daarbij vormen volgens Segbars de komende vijf tot tien jaar een kantelpunt. "De condities dwingen iedereen beter na te denken want er zal heel veel omvallen. Bestaande vormen in de kunst, zoals galeries, zijn niet te handhaven," legt hij uit. Ook ziet Gielen dit jaar problematische bewegingen die te maken hebben met biopolitiek en autoritaire controle, ingezet om nog meer te bezuinigen op de cultuursector. "In het algemene, politieke klimaat gaat het hard nodig worden om na te denken over andere vormen van kunst maken," besluit Segbars. Deze precaire situatie in de kunst en ecologie wordt in de volgende essays nader geconcretiseerd.

ESSAY 2

A.

ESSAY 2 A.   Mobiliteit en aanraking

1.

Fysieke mobiliteit

Wat zouden alternatieve vormen van internationale circulatie binnen AIR's kunnen zijn?

Vanuit de in het vorige essay al onderstreepte urgentie naar anders-reizen, ondanks onze honger tot gáán en de vele voordelen die internationale uitwisseling en het ontdekken van andere contexten kan hebben, kwamen in de gevoerde gesprekken een aantal mogelijke alternatieve vormen van reizen naar voren. Van Heeswijk benoemt bijvoorbeeld de trein of boot met name binnen Europa als vehikel voor de toekomst, maar daarvoor zijn middelen en voorzieningen nodig, dat beaamt ook Gielen. Anders-reizen gebeurt bijvoorbeeld al in de Kone Foundation *zie koneensaatio.fi/en (Helsinki) waar de reisdagen worden gezien als werkdagen en met extra middelen om klimaatneutraal te programmeren worden vergoed, leert Van Heeswijk. Vergeleken met vliegen kosten deze manieren van reizen meer tijd. Die tijd vraagt om reistijd als onderdeel van de AIR te kunnen zien. Alternatieven impliceren dus een structurele denkverandering in de kunsten.

Het nadenken over anders-reizen hangt samen met het incalculeren van middelen in beleidsvoering rondom internationalisering in de toekomst. Ook de AIR heeft de verantwoordelijkheid dit op te nemen in de programmering, aangezien duurzaam reizen samenhangt met oog hebben voor de omgeving op ecologisch en sociaal niveau, zo benadrukt Gielen. Vanhoe noemt onthemove.org als platform dat bezig is om mensen met de trein te laten reizen. Hij benadrukt dat de koppeling van iemand aan een ander die de andere kant op gaat en passeert een inhoudelijke waarde zou kunnen hebben en hier over na kan worden gedacht. Door de reis zelf meer waarde toe te kennen als proces van afstand nemen en bieden, kan de omgeving waardoor je reist direct onderdeel van je ervaring worden. Een route kan meerdere AIR's combineren en met elkaar verbinden. Met meer nadruk op anders-reizen verwordt het lokale direct tot onderdeel van het internationale, terwijl inhoudelijke dialogen vanuit lokale verankering noodzakelijkerwijs plaats (blijven) vinden binnen deze alternatieve constructie van komen en gaan. "Interessante matches [internationaal] zijn juist kleine, lokale organisaties met bepaalde problematieken [aan] andere organisaties met diezelfde problematieken, vanuit lokale verankering en activisme. [Dit koppelt dan altijd] terug naar het lokale," besluit Gielen. Zoals het lokale ook elders gevonden kan worden, kan het internationale worden ervaren zonder je fysiek te hoeven verplaatsen. "Als je alleen al kijkt in je straat, en je gaat na hoe je beweegt, waar je de koptelefoon koopt die je nu op je hoofd hebt, bij de Surinaamse buurman of Griekse buurvrouw: dat is ook heel belangrijk. Wat [internationalisering] betekent hiér. [...] Zowel lokaal is het nodig als internationaal," stelt vanhoe.

Een vergrote focus op het lokale in internationalisering hangt samen met de vraag naar de intrinsieke waarde van kunstproductie. Waar veel kunstenaars bijvoorbeeld naar Maastricht gaan om te leren hoe 'verder te komen' binnen de kunsten, aangaande hun carrière, gaat het hier volgens zowel Segbars, Khalidi, vanhoe en Twaalfhoven niet om. Het reizen voor de eigen loopbaan, zo stelt Gielen, is een ecologische ramp. We kunnen (of: moeten) het systeem heroverwegen, met de voornaamste focus op wat de kunstpraktijk in wezen betekent.

2

Mentale mobiliteit

Wat is nodig voor internationalisering als wederkerigheid, als in een vriendschap?

Gielen bepleit zoals eerder benoemd de urgentie van fysieke aanwezigheid. De waarde daarvan ervaarde hij zelf toen hij naar Kazachstan reisde voor een lezing over zijn boek *No Culture No Europe* uit 2015, aangaande cultuur en geweld. "Als je daar komt merk je dat de regio zeer getroebleerd is: Stalin heeft zwaar huisgehouden in het gevecht met de nazi's, bijna alle mannen waren tijdens de Tweede Wereldoorlog verdwenen omdat ze werden ingezet. En jij gaat daar als westerling over cultuur en geweld praten, als een *pussy?*" Op zo'n moment is het belangrijk fysiek aanwezig te zijn, om niet bijzonder koloniserend of patriarchaal over te komen, aldus Gielen. "Mensen zien je, een blanke, middenklasse man, mét een trilling in zijn stem: afziend voor de te geven lezing."

"Mensen zien je, een blanke, middenklasse man, mét een trilling in zijn stem: afziend voor de te geven lezing."
— Pascal Gielen

Wanneer iemand naar Nederland komt voor een residentie laat diegene deels achter wie hij of zij elders was, en tegelijkertijd is die 'iemand' nooit helemaal weg. Hagoort trekt internationalisering in residenties hierin door naar het principe van wederkerigheid. Hij werpt de vraag op hoe het zou zijn als persoon X uit het land X zijn wereld juist meeneemt: hij of zij komt als onderdeel van een andere gemeenschap of plek, niet als individu. Het individuele 'komen en gaan', 'halen en brengen' evenals het continue programmeren van nieuwe residenten kan worden verbreed wanneer begrippen van identiteit en plaats worden heroverwogen. Zo kan het 'zelf' ook als collectief worden gedacht, en een instituut of persoon ook deels op een andere plek worden ingebeeld. Hagoort maakt hier een pleidooi voor de mogelijkheid van wederkerigheid als spiraalvormig proces, waar internationalisering in een lokale context duurzamer kan worden. "Als je ervoor kunt zorgen dat de helft van een residentie zich bijvoorbeeld bevindt op de plek waar je vandaan komt [...] dan [committeer] je je ook aan een andere plek," denkt Hagoort. "Online is makkelijk en een mooie aanvulling [voor de AIR], maar je zou verder kunnen denken: wat als je de Jan van Eyck niet alleen meer in Maastricht maar voor de helft ook elders ziet?" Het gaat er dan om een uitwisseling te onderzoeken die niet alleen gericht is op X erin, X eruit, maar zich bij de realisatie van een netwerk als doel stelt internationale continuïteit te borgen.

Naast je plek elders te denken, kunnen plaatsen zoals AIR's binnen de regionale context van Brabant ook meer als spiraalvormig model worden ingebeeld, in plaats van als zelfstandig functionerende piramides – een idee dat volgens zowel Hagoort, Gielen en Twaalfhoven te maken heeft met de gedachte dat plaatsen in coherentie gedijen. Een voorbeeld dat Hagoort geeft is de verbinding tussen iemand die tijdelijk deel uitmaakt van het programma van Academie AKV|St. Joost, in diezelfde periode presenteert bij museum De Pont (Tilburg) en bij AIR Witte Rook in Breda* zie witterook.nu in residentie met studenten werkt. Voor Hagoort is deze ondersteuning en bijdrage aan elkaar het fundament voor wederkerigheid: geen proces tussen A en B maar een beweging die A naar B kan leiden en vervolgens naar C en D, en zelfs weer terug. Internationalisering inbedden in een lokale context, zoals in dit geval Brabant, zou hier steunen op *réciprocité,* waar 'ré', aldus Hagoort, 'heen of terug' betekent, 'ci' langs dezelfde weg, via een omweg of route en 'procité' het proces van het heen- en teruggaan waarbij het een het ander voortstuwt. Internationalisering onder lokale spelers zou zo een spiraalvormig proces betekenen dat verder kan uitdijen en versterken. "Ik denk dat je in kleine cirkels of spiralen kunt denken, ook in talent dichtbij waar de AIR's naar kijken, [naast van] veraf [uitnodigen]."

Bovenstaande zou de conformatie die volgens Gielen ook met internationalisering samengaat kunnen uitdagen. In het zoeken van internationale *peers* kunnen partners de eigen identiteit immers ook veelal bevestigen, en kan de artistieke meerwaarde van uitwisseling worden bevraagd. Sociale duurzaamheid, vertelt Gielen, vraagt meer dan kortstondige relaties of vrijblijvende contacten. Geconcludeerd kan worden dat het juist een waarde biedt voorbij de zekerheden en bevestiging van de eigen artistieke identiteit. Mensen die botsing niet schuwen en het conflict écht aangaan steunen volgens Gielen op vertrouwen: om serieuze kritiek op elkaar te durven leveren moet worden uitgegaan van een duurzaamheid in de sociale uitwisseling – inderdaad net als in een vriendschap.

ESSAY 2

B.

ESSAY 2 B. Mobiliteit en aanraking

1. Inclusie

Internationalisering is niet voor iedereen in gelijke mate voor handen en het denken erover lijkt lange tijd vanuit de westerse canon te zijn gedaan. Aangaande reizen, aanwezig zijn waar het gebeurt (de actualiteit, globalisering) en ongelijkheid: neemt de hiërarchie van het dominante frame in de kunsten af? Hoe zouden we tot een meer inclusieve benadering met internationalisering kunnen komen?

In mijn eerste gesprek, met Van Heeswijk, vroeg ik mij nog af of internationalisering gelijkwaardiger wordt nu fysieke mobiliteit afneemt. Achteraf is dit een wat onbenullige vraag. Van Heeswijk reageerde resoluut: ongelijkheid, hetgeen internationalisering *ook* impliceert, verplaatst: *The digital divide, poverty* en *literacy* zijn realiteit. In een veranderende wereld vergt internationalisering aandacht en voorop het mogelijk maken van contact binnen nieuwe communicatiestructuren, wetende dat deze niet gelijkwaardiger zijn. "Het reizen [...] heeft me heel veel gebracht en veel gegeven," vertelt vanhoe. "Maar ik ben soms ook verlegen: ik kán daar [in China] zomaar rondlopen, [mijzelf] niet druk makend over geld, en ik zie een hele jongere generatie *struggelen* met waarden, geld, leven, toekomst. Plots snap ik in Beijing – *What the fuck?* – die vrijheid, dat is zo'n grote luxe." Zelf heeft vanhoe zich in Beijing daarom niet bij een groep mensen aangesloten die de Engelse taal machtig is, om binnen die veiligheid van een *expat community* de stad te ontdekken, maar heeft zich drie maanden alleen ondergedompeld. "Het waren harde maanden voor mezelf, maar wat heb ik me aangesteld dat zo te zien: ten opzichte van wie en wat?

Je mag dat voelen, maar *learn to feel better with it.*"

De waarde van de botsing en confrontatie die middels interculturaliteit wordt ervaren kan verschillende gronden hebben. Segbars benoemt de komst van een kunstenaar in een ander land bijvoorbeeld als van belang voor de link die dit legt met de context waarin je verkeert: er worden contacten gelegd die een sneeuwbaleffect voor het minder bevoorrechte land zouden kunnen hebben. Je moet je hierbij, zo stelt Hagoort, bewust zijn van wat je meeneemt wanneer je naar minder welvarende landen reist. Vanhoe vult aan: "De eerste keer dat ik in Beijing was, was in 2000. Ik had geen documentatie bij me, ik dacht: ik kom zien wat jullie doen. En toen moest ik presenteren, uiteraard, het is een uitwisseling, maar ik had er nooit bij stilgestaan dat mijn werk waardevol zou zijn. Ik was daar om hun werk te begrijpen. Maar uiteraard deel je." Daarbij benadrukt vanhoe dat internationalisering de eigen idee over goede kunst direct ondermijnt, en dit haar diepere en zeer belangrijke rol definieert. "Roland Vázquez schrijft daar ook over.*zie nl.japsambooks. nl/products/vistas-of-modernity Hij legt uit dat *Contemporary Art* moderne kunst is en dat dit niet een intentie maar een tool is van de westerse, humane mens." Het laat het hebben van vrijheden überhaupt ervaren en de relativiteit van de dominante kunstcanon zien.

In de verruiming van artistieke en sociale perceptie duidt Bengtsson binnen de context van de KABK dat het leren van de expertise van een ander niet per se expertise vanuit de andere cultuur impliceert. Artistieke uitwisseling in het denken over en maken van kunst, kan zowel expertise, cultuur, ambacht, techniek of medium zijn, om cultuur (wat we meenemen) en kunst met elkaar te verbinden, en hiermee onze artistieke en sociale waarden.

Met andere woorden: op deze manier verwordt internationalisering behalve een dialoog tussen culturen ook een dialoog tussen eigenschappen en artistieke expertises. Voor Bengtsson speelt de erkenning van het perspectief dat je als plek biedt van groot belang in je handelen: KABK biedt momenteel westerse kunsteducatie. Vanuit de eerlijkheid naar dit perspectief kan er door kunstenaars positie (tegenover) in worden genomen. Hier wordt het belang zichtbaar van de helder gecommuniceerde ecologie en identiteit van een plek, opdat men zich hiertoe kan verhouden en er openlijk een gesprek over gevoerd kan worden. Al met al zijn gevoeligheid naar wat er gaande is, wat je als plek wilt zijn, en je positie als kunstenaar belangrijke voorwaarden bij internationalisering.

Verbonden aan het denken van Van der Beek is het fundamentele niveau van gelijkheid dat de Camino nastreeft gebaseerd op de idee onderdeel te zijn van een internationale gemeenschap. Het gaat er dan om elkaar, hoe verschillend ook, binnen de context te begrijpen alsof we min of meer dezelfde zijn. Het toont volgens Van der Beek een interessante paradox: enerzijds laat je verschil achter je, anderzijds zie je verschillen op tafel liggen en leer je ervan: Hoe is het bijvoorbeeld om in Brazilië te wonen, of vanuit Tsjechië te kijken naar de Europese situatie? Volgens haar is het strippen van jezelf binnen deze context en het beginnen op hetzelfde punt de basis van de gelijkheid die wordt ervaren. Ik trek deze werking graag door naar de eerder ontlede hedendaagse kunstcanon, waarbinnen het gestript worden van de eigen positie voor vanhoe iets simpels betekent. Het betekent dat we moeten erkennen dat de kunst hier mainstream is in plaats van een alternatieve speler aan de zijlijn van de maatschappij.

"Over de geïnternationaliseerde wereld kijkende, [vinden we] onze eigen *tone of voice* belangrijk, maar ten opzichte van wat en wie?"
— reinaart vanhoe

De kunst gedijt binnen een neoliberaal systeem, maar vanuit die eerlijke acceptatie naar de eigen identiteit kunnen andere posities worden ingenomen die we volgens vanhoe vergeten zijn te onderzoeken. Dit betekent bijkomstig dat we binnen de AIR de vraag kritisch moeten stellen zoals vanhoe die opwerpt: "Je praktijk bestaat erbij dat je de keuze maakt de hele dag je deur open te houden of dicht te doen. Over de geïnternationaliseerde wereld kijkende, [vinden we] onze eigen *tone of voice* belangrijk, maar ten opzichte van wat en wie?" Hij geeft als voorbeeld de musea: vol met schone kunst, en daarmee: *vol*. In lijn met Twaalfhoven stelt vanhoe dat het nu de uitdaging is te zoeken naar verbanden met andere lagen en talen, en een taal te vinden die je met verschillende mensen deelt waardoor nieuwe netwerken zich kunnen vormen. "Wanneer we onze praktijk als [proces] zien, waar mensen voor en na jou mee bezig zijn, is de individuele, autonome positie vrij relatief en beperkt," constateert hij. In lijn daarmee pleit ook Khalidi voor de relativering van autonomie als onschendbaar, ook waar het de internationale positie van de Jan van Eyck betreft. "De academie is heel Nederlands gericht, heel regionaal. En inderdaad, heel wit. [...] Is de Jan van Eyck dus wel internationaal, en wat betekent internationaal? Voor mij betekende het: vooral internationaal westers," legt hij uit. Het onderzoek van de Jan van Eyck Academie focust zich dan ook niet op waar ze al wél is, maar op de vraag wat te doen om dáár te zijn waar ze niet is. In lijn met Bengtsson is bewustwording van de westerse focus of het

erkennen dat dit niet is waar je wilt zijn, noodzakelijk
voor de beschreven eerlijkheid; het zichtbaar maken
van de *blind spot*.

2. Relationele autonomie

**Aangaande de zin van Jeanne van Heeswijk:
'Artists have to start considering this [to be very
conscious of when and where we are being privileged in relation to others] instead of just carving
out a nice position for themselves':** *Van Heeswijk, 2016,
p. 50 **Onder welke condities zou je als kunstenaar
nu en in de toekomst naar een AIR elders willen
gaan? Wat zijn eigenlijk de artistieke, onderliggende
waarden voor wederkerige relaties tussen culturen?**

Volgens Van Heeswijk steunt relatievorming tussen
culturen op affiniteit en het willen zoeken naar groep-
en mensen waarvan je vindt dat ze interessant werk
verrichten. Het gaat in de wederkerige relaties tussen
gemeenschappen en culturen niet om 'ik doe iets
voor jou, dan doe jij iets voor mij', aldus Hagoort,
maar om de interesse in elkaar en het stellen van
de vraag: Waar kom je vandaan en kun je iets meenemen? Als we geen internationale verbinding aangaan missen we hetzelfde als nu dat we elkaar geen
hand meer kunnen geven. De eerder benoemde
urgentie van fysieke ontmoeting in een lokale context
wordt zowel door Hagoort als Gielen aangehaald als
essentieel onderdeel van de beeldende kunst. Dit
heeft met de aanwezigheid en nabijheid te maken
die Van der Beek ook herkent in het licht van de
Camino. Samenkomend in een fysieke context wordt
het individu (deels) achtergelaten en onderdeel van
een grotere brei; het gaat dus om een ervaring die
kan optreden wanneer je je externe 'imago' loslaat

ESSAY 2 B.   <u>NL</u>

en vindt hoe je resoneert binnen het collectief. "Het is niet eens zozeer dat je een ander tegenkomt en zegt: 'Oh, doe jij dit zó in Brazilië? Ik had nooit gedacht dat wij in Nederland…', dat je via het contrast iets vindt, maar dat je door jezelf [deels] achter te laten collectiviteit terugvindt in jezelf en daardoor groeit."

Waar enerzijds vanuit affiniteit en interesse relaties kunnen worden gevormd, net als een vriendschap, bevestigt Gielen zoals eerder aangegeven dat we veelal ook conformatie en zekerheid zoeken in internationale netwerken. "Neem Michelangelo Pistoletto, die zei in University of Ideas [UNIDEE, programma voor kunst en sociale verandering]: 'hier wordt sociaal engagement gevraagd, er worden thema's aangehaald en je wordt ertoe geacht je daartoe te verhouden', met alle discussies en ruzies van dien. Ik vond dat interessant, de stelling: 'dit is een plek van discensus', niet van consensus. Maar, wederom, ook daar zoeken kunstenaars dat weer bewust op, die discensus. Je krijgt dan weer een soort bevestiging van je eigen [houding]." Gielen concludeert daarbij dat organisaties die zo heterogeen mogelijk zijn samengesteld het meest duurzaam zijn. De hereniging van verschillende beroepen, niet enkel kunstenaars, kan volgens hem de rijkdom van de AIR zijn: het zich openstellen voorbij de kunst, ervoor te zorgen dat de residentie in de lokale gemeenschap integreert, zoals met de lokale boer of het café op de hoek van de straat. De AIR die geen ufo is, maar lokaal wordt gedragen. "Op stedelijk niveau moet je altijd kijken hoe dingen complementair kunnen zijn. In *Mobile Autonomy. Exercises in Artists' Self-Organization* [boek uit 2015 samen met Nico Dockx] heb ik die biotoop deels uitgewerkt: deze moet altijd gegarandeerd zijn en een deel kunnen residenties op zich nemen, maar er moet evenwicht zijn in die biotoop," stelt Gielen.

Wanneer AIR's als netwerk spreken, is het van belang om dit vanuit de *common ground* te doen, en niet over 'artistieke identiteit' te praten. Een individualistische instelling van zelfstandigen verbindt de artistieke identiteit direct aan de sociale identiteit, terwijl 'we willen samen' een andere houding vraagt dan deze botsing tussen ego's van artistieke identiteiten die 'samen' in de weg kan staan. Om het onderlinge spreken mogelijk te maken tussen AIR's en regionale spelers – zo noemt Gielen musea, kunsthallen en zelfs de commerciële galeries als interessant – is het belangrijk niet bang te zijn de eigen artistieke kwaliteit als plek kwijt te spelen. Juist in samenwerkingen blijft dit behouden. Twaalfhoven stelt daarbij dat we door vanuit verbinding te denken, niet vanuit specialismen, een politiek geluid kunnen afgeven: "Het was [bijvoorbeeld] heel gaaf om een soort enorme, wereldwijde economische [infrastructuur] te bouwen. Maar, en daarom zeg ik 'gaaf', wij profiteren er in het Westen van. Het is minder 'gaaf' voor de mensen van wie de grondstoffen worden geroofd." Nu dit perspectief geen toekomst meer biedt, omdat we de aarde uitbuiten, ziet Twaalfhoven, net als vele andere geïnterviewden, een belangrijke rol weggelegd voor de kunstenaar. Echter, niet wanneer actuele vraagstukken als schadelijk voor artistieke autonomie worden gezien. Dit moet worden losgelaten, juist omdat deze idee van autonomie binnen de hedendaagse kunst de perfecte voedingsbodem voor een neoliberale markt vormt. Het zorgt volgens Twaalfhoven voor excellente productie, wat zorgt voor geld (soms) en reputatie (vaker). Hij pleit voor een fundamenteel ander model, berustend op het contact maken met de lokale context en niet op rangen en standen: *Wat gebeurt er híer?*

ESSAY 2 B. <u>NL</u>

Wanneer het antwoord op het grotere vraagstuk rondom autonomie, zo stellen ook Khalidi en vanhoe, niet krampachtig in het outsourcen van productie wordt gezocht, dan bereiken we het punt van communicatie en ontstaat ruimte voor nieuwe verhalen. In zijn boek *Also Space, From Hot to Something Else* uit 2016 gaat vanhoe in op de idee van autonomie in het Westen vanuit zijn ervaring in een kunstinitiatief in Indonesië.[*Vanhoe, 2016] Die hardnekkige idee van autonomie benoemt ook Khalidi, vanuit het beleidsplan dat hij schreef voor de Jan van Eyck Academie met het oog op 2030. "Als je kijkt naar de organisatie, de stakeholders zelf, de partners, de raad van toezicht, dan kun je zeggen dat mensen 50/50 voor en tegen waren. De meeste mensen waren bang voor het verliezen van de autonomie, opdat de kunsten zich moeten gaan schikken [naar iets groters, het klimaat]. En ik zei: 'De kunsten schikken zich al.' Je denkt dat je vrij bent, maar je bent niet vrij. De kunsten gedijen binnen een systeem. Het grotere vraagstuk is eigenlijk: Wat is autonomie? In wezen gedijt het in een systeem en dat is eurocentrisch, vanuit een westers, neoliberaal perspectief."

"Wat is autonomie? In wezen gedijt het in een systeem en dat is eurocentrisch, vanuit een westers, neoliberaal perspectief."
— Hicham Khalidi

De enige manier om de individualistische 'vervolg-stap' in hetzelfde discours te elimineren is om voorbij deze – door Segbars benoemde – *rat race* te denken, en de eerder benoemde intrinsieke waarde van kunst produceren voorop te stellen, niet de waardebepaling van kunst binnen dit ontwikkelde eurocentrische systeem. Hier pleit ook vanhoe voor, die de internationalisatie en instrumentalisatie van autonomie in lijn met de documenta (vijfjaarlijkse tentoonstelling in Kassel) duidt. Productiemedewerkers staan klaar om de ideeën van de kunstenaar te realiseren, "terwijl het eigenlijk geen service is, maar: kunstenaar(sgroep), waar zijn jullie mee bezig?" aldus vanhoe. "Dan kan in samenspraak [en vanuit collectiviteit] worden onderzocht. Maar de productie staat in plaats daarvan klaar: 'Wat heb je nodig, wanneer kunnen we verschepen en hoeveel vierkante meter denk je nodig te hebben en welke gebouwen kunnen we leeghalen?' En *that's it*." De clichés van het autonoom geïncorporeerde denken worden hier zichtbaar. Een mogelijkheid om een nieuw verhaal gehoor te geven, of beter: een nieuwe richting, is om de idee autonomie in de kunsten als hardnekkige ideaal institutioneel en informeel te onderzoeken, en, zo benadrukt Khalidi, *the means of production* weer in handen te nemen: het bevragen van de context waarbinnen de kunst gedijt. Hier gaat het volgende essay dieper op in.

ESSAY 3

A.

ESSAY 3 A. Artistieke productie: *intrinsieke* productie

1.

(Trans)lokaliteit

Translokaal impliceert meer vanuit het lokale te handelen, edoch zich te verhouden tot globale vraagstukken zoals de coronacrisis zelf, maar ook landbouw en energie. Verandert internationalisering door het lokale meer te centraliseren daarmee, vanuit de focus op een duurzame toekomst?

Volgens Van der Beek wordt het lokale dit jaar niet alleen vergroot, maar ook verdiept. Dit zegt ook Van Heeswijk, die hiervoor altijd al heeft gepreekt. In haar praktijk zijn lokale kernen erg belangrijk welke vervolgens in internationale netwerken geplaatst kunnen worden. "Een AIR hoeft niet per se bestemd te zijn voor mensen van ver," deelt Hagoort. "Het kan ook in dezelfde straat zijn: M4gastatelier* zie m4gastatelier.nl heeft ooit bewoners van het pand waar het atelier in gevestigd is uitgenodigd. Het werkte geweldig, omdat de plek contacten heeft met andere plekken en er ander soortig publiek komt. Je kunt in een totaal andere wereld terecht komen door [eens] naar Rotterdam-Zuid te gaan, of Groningen. Het gaat niet per se om grote afstanden of grote culturele verschillen. Dat kan, maar hoeft niet." Net zoals Van Heeswijk erkent Hagoort een waarde in lokale bundelingen. Bij het opzetten van een translokale bundeling vanuit de kleine afstanden tussen Brabantse initiatieven, veelal bescheiden en ambachtelijk van aard, komt een eigenheid aan kenmerken naar voren die Hagoort met het Ruhrgebied associeert: "Er zijn vrij veel kleinere centra die met AIR's in staat zijn om ook [van] buiten de eigen bubbel mensen [naar] binnen te halen en verbanden te leggen."

In deze verbindingen hoeven plekken niet hetzelfde na te streven maar, zo benadrukt Van Heeswijk, zij moeten wel bereid zijn in een continue dialoog te zijn. In tegenstelling tot een concurrentie-model stelt een samenwerkingsmodel uitwisseling centraal: het samen aangaan van contacten en het vormen van een cluster van sterke, regionale hubs. Binnen die lokaliteit, die als context ook navelstaar-derig kan worden, helpt het om een gesprek op een andere manier te voeren en hierin uitgedaagd te worden. Hier ziet Van Heeswijk de waarde van de internationale kunstenaar, die als gast helpt om het lokale in een groter perspectief te kunnen zien. Internationalisering helpt te begrijpen wat er lokaal aan de hand is door te zien hoe dit op andere plekken in de wereld óók speelt, in andere hoedanigheden. Volgens Segbars is de aandacht voor het lokale waardevol omdat oorsprongen er directer door worden. De groeiende focus op de lokale schaal is een trend die globaal waar te nemen is; er ontstaat meer solidariteit en begrip voor lokale omstandigheden en vormen van produceren in de kunst. In tegenstelling tot deze globale trend is het internationale, aldus Segbars, voor veel mensen lo-kaal *niet* aanwezig, wat de problematische kloof met de internationale kunstmarkt en -netwerken toont. De vraag lijkt eigenlijk hoe de internationale canon enerzijds – de 'toerist' die overal is – en de lokale inbedding anderzijds – de 'zwerver' die ingebed is en nergens anders is – samengaan, zoals filosoof Maarten Doorman in 2020 al duidde: "The tourist is everywhere, the homeless are nowhere." [*] Doorman, 2020

"In Nederland heb je op heel veel plekken nog het oude idee van: 'je zit in je kamer, en ergens ontstaat een [kunstwerk] en *that's it.*'"
— Jeanne van Heeswijk

Volgens Segbars zijn verschuivingen waar te nemen en noodzakelijk. Het Westen wordt minder belangrijk, maar we blijven onszelf nog steeds te belangrijk vinden. "We moeten ook eens andersom leren leren. En in die zin is ons systeem ook steeds minder aantrekkelijk: er is hier steeds minder plek voor kunstenaars in ons systeem, wie kan nu leven van hun beroep hier in het Westen? Het idee dat we hier veel rijker zijn is een idee waarvan we zelf af moeten, om ons te leren relateren aan andere streken." Ook Van Heeswijk stelt vast dat het maken van kunst in zichzelf een proces is waarin verschillende perspectieven en realiteiten met elkaar in dialoog zijn. "In Nederland heb je [echter] op heel veel plekken nog het oude idee van: 'je zit in je kamer, en ergens ontstaat een [kunstwerk] en *that's it* en dat wordt in een galerie opgehangen en dat communiceert'. Dat vind ik verbazingwekkend, hoe hardnekkig dat beeld is." De manier hoe wij kunst bekijken, als lineair model met een lineaire canon begonnen bij Duchamp, aldus Khalidi, berust op een misverstand. De intersectie tijdens deze coronaperiode van klimaat en ongelijkheid betekent niet de thematisering hiervan binnen instituties, maar het erkennen van de principekwesties: voor Khalidi een hete adem in je nek. Het vraagt volgens hem en velen met hem een radicale verandering van alles wat we doen: de manier waarop we ons eten maken en of we nog reizen, hoe we reizen, wat er gebeurt als we niet de hele tijd hoeven te exposeren en tonen en ga zo door.

In een interview met Hicham Khalidi vraagt
Domeniek Ruyters (begin 2020) * zie metropolism.
com/nl/features/40595_new_directions_2_hicham_khalidi naar de
focus van een residentie op het individuele
kunstenaarschap. Khalidi stelt een meer col-
lectieve vorm voor, die minder op productie
is gericht. Welke rol spelen AIR's als hybride
organisaties in deze ontwikkeling anders dan
grote spelers/instituties?

Waar het officiële circuit meer vastzit aan produc-
tiedoeleinden, denk aan zichtbaarheid, bezoekers-
aantallen en opbrengsten, daar zijn deze doelen in
het subcircuit waarin AIR's opereren minder direct
van belang. Volgens Segbars vinden veel kunstenaars
deze ruimte waardevol om te experimenteren, maar
het blijft ook een broedgrond voor iets dat precair
en kwetsbaar blijft doordat het slechte condities kan
riskeren voor de kunstenaar. Hij merkt in het officiële
circuit echter beweging op. Als voorbeeld neemt hij
De Appel: * Een centrum voor hedendaagse kunst in Amsterdam doordat
zij steun van de gemeente Amsterdam hebben ver-
loren, hebben ze een heel stuk moeten inkrimpen
en zichzelf opnieuw moeten uitvinden. "En bij instituties als de Rijksakademie van Beeldende Kunsten
of het Stedelijk Museum Amsterdam merk je dat er
[aandacht is voor] wat nou precies die waarden zijn
waar kunstenaars nou eigenlijk denken mee bezig te
zijn." Deze beweging ziet Segbars als positief, gezien
de eerder genoemde *rat race* in de kunsten absurd is
en haaks staat op waar kunstenaars mee bezig zijn.
Waar in deze race productiviteit bovenaan staat, daar
zijn kunstenaars kritisch naar die productie(dwang)
en institutionele logica. Net zoals Khalidi stelt
Segbars de actuele vraag:

Hoe zie je een instituut? Is het een 'knooppunt' van *resources* of beslag van een carrière? Dit kan het zijn, maar er moet wel gedacht worden vanuit wat kunstenaars bezighoudt, en het moet niet functioneren als stempelpost in een dwingende productieketen.

Ook Hagoort erkent de meer informele positie van de AIR, maar stelt dat het ook als voortraject van het officiële circuit gezien kan worden. De AIR krijgt volgens hem vooral meerwaarde als een alternatieve katalysator van unieke spelers in de meer coherente inbedding van kunst in een groter geheel. In dit licht acht Bengtsson samenwerkingen ook als positieve manier om elkaar te completeren. "Je hebt deze dagen steun van elkaar nodig om te durven en ook om feedback te krijgen," benadrukt zij. Samenwerken is voor Twaalfhoven een remedie om de centrische kunsteconomie een ander geluid te geven.

Juist in een wereld die verwarrend en onzeker is, zoals dat dit jaar bleek, kent de kunst een podium. Binnen de meer conventionele stromingen, stelt Twaalfhoven vast, is er vaak helemaal niet zoveel onzekerheid of verwarring. "Ik ben super blij met de podia, als een soort lab waarin kan worden [geëxperimenteerd]. Maar als je test in het lab lukt, wil je dat naar buiten brengen. Net zoals met het vaccin." Kunstbeurzen, galeries en podia worden hier als over levering van een verouderd model geduid, dat Khalidi als een eurocentrisch idee typeert en voor vanhoe staat voor de neoliberale wereld: iets waarvan we kunnen denken dat het 'is' maar, zoals al uitgebreid aangekaart, het in feite stoelt op de westerse normen. "Daarmee verdwijnt veel taal en spraak," zegt vanhoe, doorpakkend op de verandering die velen in deze tekst bepleiten.

"Als je kijkt naar de Kick Out Zwarte Piet: daarin dwing je de beweging af, noodzakelijk, en verandert er heel langzaam structureel iets. Het gevaar van de BLM-beweging is denk ik dat het heel incidenteel aangegrepen wordt: we gaan het oplossen binnen de instituten of binnen het denken van de instituten, maar de vraag of het beweegt kun je [relateren aan] waarbinnen het beweegt: op institutioneel niveau heel moeizaam, maar ik denk op informeel niveau zeker. Ik geef altijd het voorbeeld positief naar de toekomst toe: ga kijken naar de jongeren, hoe ze uitgaan, hoe ze dansen, ik zie in Rotterdam weinig verschillen. Dáár vindt BLM gewoon plaats zonder dat het een issue of een thema is."

De vraag aan de AIR blijft hiermee vooral: Waarop steun je? Op een ouder economisch model van de kunst waaraan je bijdraagt, waarin je een speler bent? Of draag je bij aan verandering? Dat vraagt erom andere waarden centraal te stellen. Volgens Twaalfhoven, Segbars en Khalidi zijn deze intrinsieke productiewaarden waarop de eigenheid en de toegang tot een plek steunt inherent onderdeel van het grotere begrip internationalisering. Daarvoor is in een lokale context van fysieke aanwezigheid rijke communicatie nodig, om de oude machinerie – in de woorden van Twaalfhoven – van radartjes in een systeem als ont- hand te zien. Naast de strijd voor financiële beloning in de kunsten, volgens hem onderdeel van het oude model maar noodzakelijk, is het nu nodig te onder- zoeken bij welke vragen aan te sluiten en welke posi- tie daarbinnen aan te nemen. "We buiten de aarde uit en er zit geen rek meer in. Dat betekent dat er een nieuw verhaal nodig is. Een verhaal waar je er dus niet komt met al die specialismen. Daar hebben we kunstenaars hard bij nodig, maar niet als ze ook in hun eigen radartje blijven zitten," zegt Twaalfhoven.

Het intrinsieke verhaal – kritisch naar en reagerend op het extrinsieke – kan ons al met al de weg wijzen wanneer de eigen productie weer centraal komt staan. Dit hangt voor Khalidi samen met de vraag wat je nodig hebt om te leven, en kunstenaar te kunnen zijn. "Productie is bij wijze van spreken de lokale productie van voedsel, maar ook van ideeën. Wij vormen mensen hier [binnen de Jan van Eyck Academie], geen kunstenaars die een volgende stap zetten." Geconcludeerd kan worden dat in het informele circuit waar internationalisering zich afspeelt tussen culturen, structurele monocultuur opgeheven kan worden door het dominante euro-centrische denken in de kunst in de lokale context aan te kaarten als te lineair. Het kunstwerk biedt hierbij volgens vanhoe een mogelijkheid om in ge-sprek te kunnen blijven, maar is niet het einddoel. "Het is belangrijk het [kunstwerk] niet te zien als de heilige expressie. Een goed idee is slechts een goed idee: het moet worden getest, bij je buurman, vrienden, medekunstenaars of de bakker. Dán kan het naar iets groeien. En dat is wat AIR's ook kunnen denken: waarom geen dokter of timmerman in het gastatelier? Dit past misschien beter dan de menta-liteit van een medekunstenaar."

ESSAY 3

B.

ESSAY 3 B. Artistieke productie: *intrinsieke* productie

Internationalisering en AIR's

Wat betekent voorgaande concreet voor lokale relaties en samenwerkingen? Kun je alleen 'internationaal' functioneren als je een breder netwerk aanbiedt vanuit collectiviteit in de regio?

Een residentie is voor veel kunstenaars een alternatieve inkomensstroom, benadrukt Van Heeswijk. Verblijf, productiegeld en een beurs zijn vaak de tegemoetkomingen die een resident krijgt, en waar kunstenaars graag gebruik van maken als een aanvulling op hun praktijk. Intrinsiek is de AIR, naast belangrijk voor het kunnen bestaan, ook een plek om andere kunstenaars en mensen buiten de kunst te ontmoeten in een lokale context. Hagoort vertelt hoe waardevol het kan zijn dat je ergens voor een langere tijd bent, niet als toerist, maar om in contact te komen met de plek, mensen en omgeving. In het verlengde daarvan benadrukt vanhoe de waarde van internationalisering onder AIR's en de vermenigvuldiging die het biedt van en voor het eigen spreken met het spreken dat je eerder niet begreep of zag. De condities van de plek waar je even echt *bent* vormen de basis van wat je meemaakt. Voor Van Heeswijk betekent de minder echte uitwisseling in de praktijk door COVID-19 in dit opzicht een verschraling. Je verdiepen in de omstandigheden van een plek waar je naartoe gaat blijft absoluut waardevol: AIR's hebben in deze ontmoeting een onomstotelijke en onvervangbare waarde.

Vergelijkbaar met het wederkerigheidsprincipe van Hagoort benadert Van der Beek het samen-zijn op een plek vanuit het begrip gastvrijheid: het samen

wíllen zijn in een plek. Gastvrijheid blijkt een basis-
principe te zijn voor de ervaring van gelijkheid die
ook in de pelgrimstocht fundamenteel is. In lijn met
de AIR kan de pelgrimstocht ruimte bieden waarin
tijd vertraagt en het voorwaarden schept om dit engagement tot en met elkaar te kunnen aangaan. In
de luwte van de productieoutput die de kunstwereld
buiten de AIR verwacht, als vraag in plaats van
aanbodmodel, is de AIR dus bij uitstek waardevol
voor engagement geworteld in een lokale context.
Ook in de pelgrimstocht ben je, de hele tijd. Als je
opstaat, boodschappen doet, met wie je praat nadat
je klaar bent met werken en met wie je over straat
loopt: het is een volledige staat van zijn op een plek
elders. Waartoe dit aanzet, ligt open. Vanuit de host
kan er dus geen verwachting op de output van het
werken van de resident zijn, juist het wederzijdse
respect is sturend in dit artistieke proces. Zoals vast-
gesteld staat in dit proces intrinsieke waarde voorop.
      Als initiatieven ontstaan vanuit de noodzaak
om een ruimte te veroveren die andere economische
grondslagen in de kunst kent dan hierbuiten, is het
volgens Segbars als AIR nu zinnig om na te denken
over deze intrinsieke waarde van kunstproductie. Hier-
over kan onderling gesprek worden gevoerd, omdat
het organiseren en onderhouden van een residentie
politieke slagkracht vraagt, iets wat de plekken met
elkaar delen Je bent een plek, maar waartoe houd je
als AIR eigenlijk die noodzakelijke ruimte vrij? Volgens
Segbars is dat al een politieke vraag die met oog op de
precaire toekomst – minder ruimte voor initiatieven
binnen een economische rationale en een toenemende
druk die bestaan onzekerder maakt – slechts wezen-
lijker wordt. Het is juist de bewustwording van opge-
voerde druk die politiek mobiliseren onder AIR's nu
belangrijk maakt, vanuit de eigen waarden.

De intrinsieke waarden van AIR's benoemt ook Khalidi. Het runnen van een AIR hangt behalve met de productie van werk en het tonen van werk samen met de vragen wat dit 'tonen' betekent en voor wie, evenals met vragen waar we voedsel en energie vandaan halen. Het zijn vragen die samenhangen met het vrijhouden en innemen van ruimte. De Jan van Eyck Academie wil in 2030 dan ook volledig klimaatneutraal zijn, niet alleen in het gebouw en voedsel maar ook binnen samenwerkingsverbanden. Gielen beaamt dat deze totale benadering, in plaats van een thematische benadering, in een organisatie cruciaal is om zowel ecologische als sociale redenen. Lokale verankering speelt hierin een grote rol en neemt slechts toe, terwijl de positie van een kunstenaar in de lokale industrie wordt onderstreept. Aanvullend kan de opmerking van vanhoe worden gemaakt die wederom het onderzoeken van de eigen plek in dialoog met de gastkunstenaars en lokaliteiten benoemt als mogelijkheid. Zoals ook Segbars leert vraagt het runnen van een AIR veel energie voor de host, waar het volgens vanhoe meer energie kan leveren wanneer het niet het onderhouden van een gast betreft, maar het onderzoeken van de plek mét de gast (kunstenaar). Initiatiefnemers van AIR's (hosts) worden zo onderdeel van het proces van vormgeven, en faciliteren niet slechts de tijdelijke gastkunstenaars (residenten) in een doorlopende programmering. Juist de AIR kan zichzelf blijven bevragen in het hoe en waarom, zo stellen beiden. Op deze manier kan ook internationalisering worden 'getest': door het niet binnen de programmering van de ene naar de andere internationale kunstenaar 'in te willen bedden', als antwoord, maar door het als vraag te onderzoeken. Wanneer de AIR wordt gezien als

ESSAY 3 B. <u>NL</u>

ecosysteem, niet om interne werking te verstoren maar om het te voeden, dan betekent dit een focus op de bouwstenen van de plek zelf. Het geheel van de AIR wordt dan niet als service gezien die wordt geboden aan losse kunstenaarspraktijken, maar als een gezamenlijk blokkenspel waarmee de organisatie en kunstenaars spelen.

ESSAY 3 B. <u>NL</u>

ESSAY 3

C.

1.   Internationalisering en AIR's
                               in Brabant (een verdieping)

Met Brabantse AIR's als *case study* in deze negen
gesprekken, benoemt Hagoort dat residenties hier
op een relatief korte afstand zijn gehuisvest en er
een ideaal speelveld met andere biotopen kan worden
gezocht, wanneer de lokale context van de AIR als
belangrijk wordt erkend. Hagoort: "Een gastatelier
heeft vooral veel zin als het deel uitmaakt van een
netwerk van andere plekken, zodat er belangstelling
is. Niet alleen onder andere ateliers, maar ook academies en musea. Iedereen wil zijn eigen ding doen,
dat is de dynamiek en dat moet je ook zo laten. Je
kunt niet voor een ander bepalen wat te doen, maar
als je het voor elkaar krijgt om voor elkaar belangstelling te wekken en regelmatig samen te komen, je
programma open te stellen voor elkaar – niet alleen
in je eigen plek maar ook in musea of de academie
– dan kun je veel bereiken." In deze lokaliteit wordt
door zowel Hagoort als Twaalfhoven de spiraal of
cirkelvorm benoemd boven de al eerder door vanhoe
geschetste piramidestructuur. Een piramide krijgt als
vorm een steeds bredere individuele basis: mensen
zien je, waarderen je, kopen je werk, volgen je nieuws-
brief en Instagram en ga zo door. "Ik geloof dat we
een andere vorm kunnen bereiken en dat netwerk
veel meer in een cirkel kunnen zien: [als spelers die
zich] tot elkaar verhouden," duidt Twaalfhoven. Op
deze manier wordt ook een andere, meer actieve rol
van publiek onderzocht en kunnen we de AIR als
lerend en open netwerk gaan zien. Vanuit de eigen
dynamiek van een plek kan er volgens Hagoort lokaal

samen worden gekomen en vanuit belangstelling voor elkaar programma's open worden gesteld. Voor hem is het essentieel om samen te komen binnen het gehele kunstlandschap, waarbinnen de AIR één van de onderdelen is. Welke mogelijkheden en ruimte bied je elkaar en wat is daarvoor nodig? Wederom is hier de *common ground* belangrijk: het gaat er niet om in elkaars programmering te wroeten, maar te zoeken naar manieren om het geheel te stimuleren, aan tafel te gaan zonder samenwerking als duiding van dwang te zien. Samenwerking is geen vereiste voor geld; het is iets dat gebeurt, ook nu al, maar waarvoor tijd en gelegenheid gerealiseerd moet blijven worden.

Bovenstaande vraag gezamenlijk benaderen in een regionale omgeving is volgens Gielen inderdaad belangrijk om voorbij PR en uitstraling tot een inhoudelijk onderzoek te komen. Hij pleit net zoals Khalidi voor een totaalbenadering. Lokale verankeringen zijn zowel ecologisch als sociaal urgent, kunstenaars in Brabant kunnen bijvoorbeeld lokale verbindingen aangaan door zich te verhouden tot textielindustrie en ambacht. Juist doordat deze provincie niet het centrum van de kunstwereld is kan haar geografische ligging inzetten op die identiteit. Vanuit deze inhoudelijke en intrinsieke verbindingen kunnen duurzame relaties ontstaan met lokaliteiten elders die affiniteit met deze onderwerpen hebben. Reizen wordt dan om inhoudelijke gronden interessant en belangrijk, zo leert Gielen. Ook Twaalfhoven benoemt de mogelijkheid van het 'detail' waar de kunstenaar goed naar kan kijken. De globale klimaatcrisis kan lokaal worden onderzocht, juist aan de hand van deze details die op lokale schaal spelen, bijvoorbeeld in samenwerking met de landbouw en boer: "We hebben te maken met onzekerheid en verandering, zoals in de landbouw, daar gaat heel

veel veranderen in de komende tien à twintig jaar.
En dat geldt voor meer onderwerpen. Als [dergelijke
vraagstukken] centraal staan bij een residentie, dan
krijg je fascinerende uitwisselingen."

"We hebben te maken met onzekerheid en verandering, zoals in de landbouw, daar gaat heel veel veranderen in de komende tien à twintig jaar."
— Merlijn Twaalfhoven

De verbinding lokaal-globaal biedt de AIR een
translokaal en ecologisch fundament. "Brabant is
niet het centrum van de kunstwereld, en dat is een
goede zaak. Veel kunstenaars hebben juist nood
niet voortdurend in dat centrum rond te rijden.
Alleen al door de geografische locatie kan [Brabant
daaraan beantwoorden]. De sterkte van de identiteit
van residenties moet daar op inspelen: niet nóg
eens een vernetwerker zijn, zoals de Rijksakademie.
Anderzijds zijn er in Brabant connecties met scholen,
het Textielmuseum, de *roots* [...]. Ik denk dat het
DNA van Brabant zit in het landelijke, de landbouw-
gemeenschap en het textielverleden," stelt Gielen.
Waardevol is om lokale vraagstukken die op detail-
niveau spelen te verbinden aan de vraagstukken met
plekken elders en zo vanuit gedeelde en intrinsieke
affiniteiten te onderzoeken. "Je kunt daarop inzetten
en je ermee profileren. Het zijn interessante en op
zijn minst inhoudelijke redenen waarom je ook nog
zou reizen."

     Afsluitend. Een internationale kunstenaar in
de lokale context van Brabant, zo vertelt Hagoort, kan
erg belangrijk zijn voor het artistieke klimaat. Volgens
Hagoort is de steun van Nederlandse fondsen aangaande internationalisering met name het ondersteunen

ESSAY 3 C. <u>NL</u>

van Nederlandse kunstenaars naar elders. Kennis- en uitvoeringsorganisatie Kunstloc Brabant en BrabantStad zetten met de Proeftuin Internationalisering (een experiment in Brabant om internationaliseringsambities vorm te kunnen geven) juist in op het ontvangen van een internationale kunstenaar in Brabant. Het denken 'Nederland te moeten promoten' kan volgens Hagoort anders, en deze focus in Brabant is daarin een interessant voorbeeld. Khalidi noemt ook BAK * zie bakonline.org/nl als interessante organisatie die residenten in de eigen landen helpen, de aanpak is in lijn met hoe Hagoort de Jan van Eyck Academie deels elders dacht. Volgens Khalidi is de AIR in haar basis een studio met vier witte muren en een stoel, zoals die in de context van de Jan van Eyck in ieder geval kan worden geschetst. Echter, het ontwikkelen van werk gebeurt hier niet in het vacuüm van die studio pur sang. De studio en integriteit van de kunstenaar staan voorop en moeten bewaard blijven – de kunstenaar is er voor zichzelf en bepaalt, maar komt terecht in een nieuwe context. Zoals dit onderdeel ronduit toont is het de dynamiek die hierbij ontstaat die door organisatoren en initiatiefnemers blijvend kan worden onderzocht. Naast de studio biedt de Jan van Eyck Academie een dialoog met mederesidenten en verschillende (onderzoeks)laboratoria binnen de academie zelf en in de omgeving. Binnen kleinere AIR's kan een symbiose in spiraalvormige verbindingen en in onderzoek met lokale spelers en plekken bestaan. Men komt om een residentie te doen, terwijl de initiatiefnemers de residentie tegelijkertijd willen continueren. De intrinsieke waarde van kunst maken wordt door hen onvoorwaardelijk gedeeld. Dit blijft de grootste waarde van de AIR die door de betrokkenen in dit onderzoek wordt benoemd.

Volgens Khalidi verschuift deze coronaperiode het accent van tonen naar het centraliseren van onderwerpen, en dit betekent dat kunstproductie bevraagd kan worden. Nu er niet meer kan worden getoond staat de intrinsieke motivatie van kunstenaars, die in AIR's voorop staat, als protagonist op het decor. Vanuit de diversiteit aan AIR's die deze waarden tezamen koesteren en najagen kan in lijn met de benoemde mogelijkheden en voorstellen in deze essays de betekenis van internationalisering open worden onderzocht.

Bibliografie

Boon, E. (2020, 2 juni). *Translocality: artistic internationalisation after the corona crisis*. DutchCulture. https://dutchculture. nl/en/news/translocality-artistic-internationalisation-after-the-corona-crisis

Dijksterhuis, E. (2020, 30 maart). *De Corona-archives zijn een collectief logboek van deze rare tijd*. Het Parool. https://www. parool.nl/nieuws/de-corona-archives-zijn-een-collectief-logboek-van-deze-rare-tijd~ bd5ea333/?referrer=https%3A%2F%2Fw ww.google.nl%2F

Doorman, M. (2020, 26 mei). *Maarten Doorman on Translocality in the Arts*. DutchCulture. https://dutchculture.nl/en/ news/maarten-doorman-translocality-arts

Van Heeswijk, J. (2016). PREPARING FOR THE NOT-YET. In A. P. Pais, & C. F. Strauss (Eds), *Slow Reader. A Resource for Design Thinking and Practice* (pp. 43–53). Amsterdam: Valiz.

Vanhoe, r. (2016). *Also-Space, From Hot to Something Else: How Indonesian Art Initiatives Have Reinvented Networking*. Eindhoven: Onomatopee.

Colofon

APE #204
Wat is een goede wereld?
Internationalisering in
een post-coronasamenleving
Liza Voetman

© 2022 Art Paper Editions
ISBN 9789493146969
www.artpapereditions.org
www.lizavoetman.com
Eerste editie van 600 exemplaren
Mei 2022

Auteur: Liza Voetman
Tekstredactie en proofreading:
        Floor van Luijk
Vertaling en proofreading:
        Karlien MacNamara
Ontwerp: Lien Van Leemput voor 6'56"
(www.6m56s.com)
Gedrukt en gebonden in Tallinn.

Deze publicatie is mede mogelijk gemaakt
door de ondersteuning van: Mondriaan
Fonds, Prins Bernhard Cultuurfonds,
Amsterdams Fonds voor de Kunst.

Speciale dank aan de Jan van Eyck Academie
voor haar betrokkenheid en partnerschap
in de realisatie van deze publicatie.

jan van eyck
academie

Mijn dank gaat uit naar de vele betrokkenen
die hun medewerking aan deze publicatie
hebben verleend, om de vraag naar een
goede wereld te midden van meerdere en
aanhoudende crises samen van richting
te kunnen voorzien. Dank, Jeanne van
Heeswijk, Pascal Gielen, Hicham Khalidi,
reinaart vanhoe, Jack Segbars, Merlijn
Twaalfhoven, Erik Hagoort, Suzanne van
der Beek en Cecilia Bengtsson.
(Liza Voetman, Tilburg, 2022)

Deze publicatie resulteerde uit een eerder
onderzoek naar Internationalisering dat
in de periode januari 2021 tot en met juni
2021 is verschenen op airbrabant.nl

56
57

What is a good world?

Internationalisation in a post-Covid society

Table of Contents

EN

INTRO

What is a good world? Internationalisation in a post-Covid society

Whilst Errol Boon already noted at the start of the pandemic that in the 'difficult times' of Covid-19, it would be complicated to respond effectively with instruments and concepts dating from a world before the crisis,[Boon, 2020] in this publication I focus on the current situation. I do so precisely because reality is uncertain and confusing, yet at the same time indicates the way ahead. According to Boon, our supposed progress has halted and the logic of the past is therefore not necessarily applicable to the future. In other words, we need to embrace our ability to respond. We have to reassess self-evidences, including our international ambitions and connections. This with a view to the future, which Edo Dijksterhuis too notes will be irrevocably different.[Dijksterhuis, 2020] The central question is: what does the pandemic show us about the world after today?

The theoretical framework of the internationalisation concept for Artist-in-Residencies has resulted in centralising six themes in the last few months, namely: mental mobility, physical mobility, inclusivity, relational autonomy, (trans)locality and process-based activities. These themes form the basis for the questions discussed in nine in-depth interviews on internationalisation during the pandemic, with a view to a post-Covid society. The interviews took place between January – March 2021 with consecutively: the artist Jeanne van Heeswijk; the artist, curator and writer Jack Segbars; the writer, researcher and artist Erik Hagoort; University of

Antwerpen professor and sociologist Pascal Gielen; the artist and Fine Arts coordinator at the Royal Academy of Art, The Hague, Cecilia Bengtsson; the composer and founder of The Turn Club Merlijn Twaalfhoven; the Jan van Eyck Academie director and curator Hicham Khalidi; the artist, author and lecturer at the Willem de Kooning Academy, reinaart vanhoe and Tilburg University assistant professor Suzanne van der Beek.

The conversations took place within the scope of research into internationalisation with Brabant Artist-in-Residencies (AIRs). These residencies offer an environment where interaction and interpersonal contact is enabled in a safe context, elsewhere than at home. Due to the pandemic, the internationalisation ambitions of AIRs have taken on other forms. Crossing national borders became almost impossible and plans were postponed or cancelled. On the basis of the six central themes, in this research the conversations were analysed, working towards what internationalisation in the visual arts field could entail, in particular for AIRs. The themes acquired an independent value within these conversations and have been condensed into three essays:

1. Internationalisation?
2. Mobility and contact
3. Artistic production: *intrinsic* production

One of the concepts discussed in these essays is the 'translocal' thinking explicitly explored during the pandemic, and heralded again at the beginning of 2020 by, among others, Maarten Doorman. [*Doorman, 2020] The concept provides Boon with a framework

to critically reassess what he describes as the

'broken promise of globalisation', now that internationalisation is no longer an innocent ideal, but an inevitable reality.[*Boon, 2020] Internationalisation confronts us with major ethical challenges. In these essays, the challenges are recognised as inequality, climate inequity, and the Western dominant art canon associated with internationalisation, and are reassessed in order to be able to respond to developments in the current world.

Dijksterhuis describes an increasing need for contact. That need does not arise from a romantic nostalgia which he also perceives in the present (he mentions Thierry Baudet in passing), but rather arises from acknowledging a world which doesn't adhere to borders: consider the virus, but also migration.[*Dijksterhuis, 2020] The argument for translocality during the pandemic appears to want to lift the border between the global canon and nationalism, where Boon already raised questions such as: How do we remain connected to people across the whole world and at the same time protect the environment and the planet? How do we ensure that someone's international efforts are also international exchanges? And how do we organise a fair, international cultural collaboration which does not reproduce the structural power differences that dominate our globalised world?[*Boon, 2020]

These issues I will consider in more detail. This publication therefore considers how the pandemic revises our international ambitions, for a society after Covid—should this occur. It offers practical suggestions for joint action.

ESSAY 1

In my first conversation with the artist <u>Jeanne van Heeswijk,</u> it becomes evident that internationalisation is important in exchanging local forms of resistance in relation to global conflicts, thus to build a fairer society. That exchange doesn't explicitly reach over land borders or cultures, rather, to Van Heeswijk it implies above all the connection of different ways of thinking. One doesn't always need to take a flight for this, however, becoming acquainted with each others' strategies is of vital importance. Van Heeswijk thus acknowledges the value of meeting in real life: on a ground elsewhere, in the "grey area which is there when you walk outside and chat to someone." Welcoming international artists in the Netherlands, such as within residencies or also at academies such as the Jan van Eyck Academie, is especially valuable in order to understand the foundations of a place elsewhere.

<u>Jack Segbars</u> too emphasises that physical meetings and exchanges have a crucial value in the context of the AIR. The exchange of artists and benefitting from each others' networks through meeting, is of manifold importance in being able to work outside one's usual context in a well-accommodated residency. When I asked Segbars about his interpretation of the internationalisation concept in art, he acutely notes that the 'Contemporary Art System' is "a lively discourse of biennales and institutes which gives shape to discourse production and exchanges of artists who travel across the world. The art industry is a travelling international circus with dynamic exchanges and is global in nature. Art *is* international." Segbars elucidates that the

internationalisation concept is therefore inextricable from the prevailing art establishment: a network of internationally operating institutes where intense transactions of artists, knowledge, curators and theorists happen. A possible risk, should this be carried too far, lies in this: internationalisation as a 'tick box exercise'. In other words, a conventional value is assigned to the concept by subsidy providers in order to ascertain 'this can be ticked off' while in reality it doesn't amount to much. In a later conversation Pascal Gielen describes such a value assignment as a classic form of symbolic capital. The 'international artist' becomes associated with the international art market which has received much acclaim in the past 20 years. "Those who went to events abroad became more acclaimed," Gielen says. "Consider the wonderful anecdotal examples in Flanders of Jan Fabre who was supposed to be exhibiting at the Biennale in Venice. Afterwards it transpired that he'd rented a space there himself and then came back." International? It was simply a way to be able to legitimise subsidies. We're currently seeing an inflation of the international as symbolic capital now that internationalisation has become more common, Gielen notes, with the Erasmus students at his lectures in mind.

"The art industry is a travelling international circus with dynamic exchanges and is global in nature. Art *is* international."
— Jack Segbars

In a subsequent conversation on Skype, reinaart vanhoe points to the world map hanging behind my head in my daily work space—the living room. He sees this map as a metaphor for a more overarching perspective on internationalisation. For vanhoe this

is necessary, precisely because few people have the luxury to look at it in this way, without feeling pain.

Our position, from within the Benelux, is a luxury. It's necessary to consider our own (privileged) position and learn to understand it better. Instead of being about 'picking up' something, 'savouring' or 'placing oneself in a network of important institutes', internationalisation is especially about recognising that art is *not* universal. The international art world is a more or less closed domain with its own dominant art canon and language which Merlijn Twaalfhoven calls 'Artsperanto', and defines as "a standard language by which artists worldwide understand each other, from South Africa to Canada or Japan." He notes, however, that this language is detached, attributed to the gap between this language and the language of the world outside art. Art is, Twaalfhoven relates, a self-determined system that inspires people inside it, but where a connecting narrative to society is now urgently needed. In the efficient machine of life in which specialisms work together as well-oiled parts, life is missing.

The relationship between art and life, as articulated by vanhoe also, begins with the recognition that the *Contemporary Art System* is not intelligible for everyone, it is not inclusive and therefore problematic. We cannot assume that everyone understands Van Gogh and his value; including us—in the arts— ourselves. As well as within the international art language as outside the monoculture which art can at times also exemplify, the relativity of language is inherently connected to internationalisation. We're often not aware of the building blocks of something or someone, vanhoe explains. "Take a class at the St Joost School of Art and Design, or here at the

Willem de Kooning, and there's an international group of students, we often give feedback on someone's work, but we don't really have the context. We don't know the building blocks."

"'Inter' plays *between* nationalities. The good thing about lifting borders [between] is the idea that underneath these borders we are all same."
— Suzanne van der Beek

In order for us to relate to these building blocks we need to realise that despite the shared objective (to practice art), there are differences in the cultural baggage which we take with us, which carry within it diverse styles and histories. Cecilia Bengtsson: "In Korea, for example, they have to learn many classical-technical techniques, but they also have a very strong conceptual side." With international exchanges we carry the subjects and concepts of what visual art 'is' with us from our homeland, as well as ways of practice, histories and ideas on what is important to learn and convey. This inflow of different cultures enriches us. However, as Bengtsson elucidates, there's also a hidden trap in internationalisation: "When you assume: you must be so-and-so because you come from this or that country—we really can't know that." The attempt to understand each other as if we are more or less the same, to her implies discarding notions of 'you are like this'. Internationalisation needs to take place in a respectful and tolerant manner, where respectful could inherently mean something different in different cultures. "Take that pause between when you say something to me and when I begin to speak. In the Netherlands this pause is very short. In Sweden someone will say something, but first take a breath: a sign to everyone they are going to speak.

Take a breath and then begin speaking [...] It's about that awareness," Bengttson says.

Suzanne van der Beek has studied that awareness and confrontation in her research on the Camino, the pilgrimage to Santiago de Compostela. I suggest to her that 'inter' could be denoted as 'between', and while Van der Beek agrees with that definition, pilgrimages are precisely about lifting a border. "'Inter' plays *between* nationalities. The good thing about lifting borders [between] is the idea that underneath these borders we are all same," Suzanne van der Beek explains. However, just like the Contemporary Art System which as vanhoe ascertained is not inclusive, the ability to take a pilgrimage is, according to her, only available to affluent Westerners who can take two months' unpaid leave. "You are, say, 'more pilgrim' the longer you walk, but you have to be able to take leave. That's why I call it a romantic idea of being a pilgrim: it's not always the reality, it's how that world functions within itself." This resonates with how the academic worlds around Van der Beek operate: with the idea that what is being done is very significant. However, looking at what the academic world contributes to the worlds outside of that discourse primarily serves, in her opinion, to enhance one's own CV. The Camino could be compared to the AIR as a place to escape such hierarchy and competition, as a place where equality—walking shoulder to shoulder—takes place.

"Art is larger than what we see and think at this moment. The centre shifts and additionally there's the question of who determines hierarchy."
— Hicham Khalidi

Hicham Khalidi emphasises that within his practice internationalisation had often manifested itself differently before he became director of the Jan van Eyck Academie in Maastricht: "I've worked in Paris and internationalisation there meant: large [companies which] commission [established] artists and which completely develop [these projects] together with the artist. But art itself suggests something different and reflects on the marginalisation of structures and hierarchy. Art is larger than what we see and think at this moment," according to Khalidi. "The centre shifts and additionally there's the question of who determines hierarchy." This concept of art is also influential on Jan van Eyck as an academy. While the Jan van Eyck Academie can be seen and used as a place where people enter for their own career and where, among others, curators come to help progress them, and thus may be typified as aimed at the self-development of the artist, Khalidi is mindful of this. He places the context in which the academy thrives as central: that which happens *in the world*. The earth requires (also from art) a necessary commitment to the largest and most important issue: the answerability of organisations to the effects of climate change, in accordance with the IPPC.

When I ask Khalidi whether the pandemic has shed new light on our understanding of internationalisation, he agrees. To him, COVID-19 is of course not something we'd opted for and neither is the climate crisis, but it is a fact. We can no longer say that we miss travelling. "Of course I miss it," Khalidi resolutely says. "But we'll have to develop other ways." COVID-19 will indicate the way ahead. This is also emphasised by Gielen, who contends that Covid allows us to reflect on the ecological aspects of art and mobility. What we now withdraw from our environmental footprint, we're able to spend on the future. We *must* travel differently. Van Heeswijk sees the current hybrid situation as a driver for the future. The changing relationship between on and off-line gatherings which characterises this period and why we can or cannot travel, have become more urgent as issues and require research into new connections on a larger scale. For example, by offering longer stays and letting people travel less, to exploring new forms of exchange thoroughly, or to collaborate locally when inviting international guests.

Entering into dialogue on a wider level, for instance with the government, is of importance because climate is not only significant for the arts. The changing circumstances in the world compel us to think in possibilities, Khalidi argues. For example, conversations this year have been easier to conduct at a distance where travel time can be used for another purpose. Internationalisation—which, Khalidi notes, policy predominantly sets out as the longing for connectedness—remains an empty

shell when we hold fast to the paradigm that internationalisation means exchange. Consider the scores of affluent international students studying in the Netherlands who leave after having received their degree. Is that valuable? Now that this international student population has reduced and we can no longer see and touch each other, our entire thinking has changed. The question is: how do we see the future?

Erik Hagoort also emphasises this larger issue. There are many questions he sees as having practically emerged this year, related too to the value that an AIR has as a place and what you want to be through that. Aside from an ecological awareness, this period also requires us to reflect on 'art production' itself, where for Segbars the next five to ten years will become a tipping point. "The conditions compel everyone to reflect more deeply, because a lot will fall apart. Existing arrangements in art, such as galleries, are not maintainable," he explains. Gielen also sees problematic developments in biopolitics and authoritarian control this year, instigated to make further cuts in the cultural sector. "In the prevailing political climate it's become urgent to think about other forms of making art," Segbars concludes. This precarious situation in art and ecology will be discussed in further detail in the next essays.

ESSAY 2

A.

1.
Physical mobility

What alternative forms of international circulation could be developed within AIRs?

The urgent need to travel differently—in spite of our desire to go as well as the many advantages which international exchange and the discovery of other contexts can have—was highlighted in the previous essay. What also emerged in these conversations, are some possible alternative forms of travel. Van Heeswijk, for example, mentions the train or boat especially within Europe as modes of transport for the future, that said, means and resources are necessary for this, as Gielen also concurs. Travelling differently already occurs in the Kone Foundation* see koneensaatio.fi/en (Helsinki) where travel days are regarded as workdays and there's compensation for the additional resources needed to program climate neutrally, Van Heeswijk explains. Compared to flying, these ways of travel take more time. That time requires travel time to be seen as part of the AIR. Alternatives therefore imply a structural change in thinking in the arts.

Thinking about travelling differently is linked to factoring in resources in the policymaking on internationalisation in the future. The AIR has the responsibility to incorporate this in its programming, as sustainable travel relates being aware of the environment on both an ecological and social level, as Gielen emphasises. Vanhoe refers to onthemove. org, a platform which stimulates people to travel by train. He emphasises that linking someone who passes someone else travelling in the opposite

direction, has an intrinsic value which could be further developed. By granting travel itself more value as the process of taking and affording distance, the areas through which one travels can become a direct part of the experience. A route could combine several AIRs and connect them together. With more emphasis on travelling differently, the local directly becomes part of the international, while intrinsic dialogues from out of the local embedment necessarily (still) take place within this alternative construct of coming and going. "Interesting matches [internationally] are very much about matching small, local organisations that have specific challenges to other organisations with those same challenges, through local embedment and activism. [This always links] back to the local," Gielen concludes. Just like the local can also be found elsewhere, the international can also be experienced without having to move physically. "Just looking in your street and being aware of how you move, where you buy the headphones you're wearing, the Surinamese or Greek neighbour: that too is very important. What [internationalisation] means *here*. [...] This is needed locally as well as internationally," vanhoe suggests.

An increased focus on the local in internationalisation is associated with the question of the intrinsic worth of art production. While many artists, for example, come to Maastricht to learn how to 'advance' their careers in the arts, according to Segbars, Khalidi, vanhoe and Twaalfhoven, this is not the point. Travelling for one's own career, Gielen states, is an ecological disaster. We may (or, rather, must) reassess the system, with the principal focus on what artistic practice essentially means.

What is necessary for internationalisation as reciprocity, as in a friendship?

As mentioned earlier, Gielen speaks for the immediacy of physical presence. He experienced the benefit of this himself when he travelled to Kazakhstan for a lecture on his book *No Culture No Europe* (2015), on culture and violence. "When you arrive there, you notice that the region is extremely troubled. Stalin wreaked havoc in the combat against the Nazis, nearly all men disappeared during the Second World War because they were deployed. And then you go there as a Westerner to talk about culture and violence, like a wimp?" In such a moment, it's important to be physically present in order not to appear as overly colonising or patriarchal, Gielen says. "People see you, a white middle-class man, with a tremor in his voice, nervous about giving the lecture."

"People see you, a white middle-class man, with a tremor in his voice, nervous about giving the lecture."
— Pascal Gielen

When someone comes to the Netherlands for a residency, they partially leave behind who they were somewhere else, and at the same time that 'someone' is never completely gone. Hagoort relates internationalisation in residencies back to the principle of reciprocity. He raises the question of what would happen if person X from country Y were to take along their world: he or she comes as part of another community or place, not as an individual. The individual 'coming and going', 'fetching and

ESSAY 2 A.   <u>EN</u>

bringing' as well as the continual programming of new residences can be widened out when concepts of identity and place are reassessed. Thus, just as the 'self' can also be thought of as a collective, an institute or person can also be partially imagined in another place. Hagoort therefore advocates the possibility of reciprocity as a spiral-shaped process, where internationalisation can become more sustainable in the local context. "If you can ensure that half of the residency takes place in the place where you come from [...], then you also [commit] yourself to another place," Hagoort thinks. "Online is an easy and wonderful addition [to the AIR], but you could develop it further: what if you envisioned the Jan van Eyck Academie not only in Maastricht, but also somewhere else for half the time?" Therefore, it's about devising an exchange that isn't only based on X goes in, X goes out, but aims to assure international continuity in the creation of a network.

Aside from envisioning your place elsewhere, places such as AIRs may also be imagined as a more spiral-formed model within the regional context of Brabant, as opposed to being independently functioning pyramids, an idea Hagoort, Gielen and Twaalfhoven argue, which comes from the notion that places thrive in coherence. Hagoort gives as an example the connection between someone who is temporarily part of St Joost School of Art and Design's program while in that same period also presents at the museum De Pont (Tilburg) and works as resident with students at the AIR Witte Rook in Breda.* see witterook.nu For Hagoort, this support and contribution to each other is foundational for reciprocity: not a process between A and B but a movement which can lead A to B and then to C and D, and even back again. Embedding

internationalisation in the local context, in this case Brabant, would be supported by reciprocity, where 're' according to Hagoort, means 'back or forth', 'ci' returning the same way, via an alternate route, and 'procity' the process of going back or forth, where the one drives the other. Internationalisation among local players would therefore imply a spiral-formed process which can spread and strengthen further. "I think you could think in small circles or spirals, and for AIRs also to look to talent close by, [aside from inviting from] afar."

The above would challenge the conformity which Gielen argues goes together with internationalisation. In searching for international peers, partners can affirm their own identity, and the artistically added value of exchange can be enquired into. Social sustainability, Gielen states, demands more than just short-lived relationships or casual contacts. It may be concluded that it precisely offers a value beyond the certainties and affirmation of artistic self-identity. People who don't avoid confrontation and enter into conflict, rely on trust, Gielen says: in order to dare to give serious criticism to each other, one has to assume a durability in the social exchange, indeed, just like friendship.

ESSAY 2

B.

ESSAY 2 B. Mobility and contact

1.

Inclusion

Internationalisation is not available to everyone in equal measure and reflection on this appears to have been done from the perspective of the western canon for a long time. Regarding travelling, being present where it's happening (current events, globalisation) and inequality: is a hierarchy of the dominant frame in the arts subsiding? How can we arrive at a more inclusive approach with internationalisation?

In my first conversation, with Van Heeswijk, I asked myself whether internationalisation will become more equal now that there is a decrease in physical mobility. In hindsight this is a somewhat foolish question. Van Heeswijk responds: inequality, which internationalisation *also* implies, displaces: the digital divide, poverty, and illiteracy are realities. In a changing world, internationalisation requires attentiveness, in particular in enabling contacts within new communication structures, while being aware that these are not more equal. "Travelling […] has brought and given me a lot," vanhoe says. "But sometimes I am also embarrassed: I'm able to just walk around [in China], I don't have to worry about money, even as I see an entire younger generation struggle with values, money, life, the future. Suddenly, I understand in Beijing—*What the fuck?*—that freedom, that's such a big luxury." In Beijing, vanhoe didn't join a group of people who spoke English to discover the city in the safety of an expat community, but rather, immersed himself all by himself in those three months. "Those were tough months, but I told myself to see it like this: in relation to whom and what? You're allowed to feel that, but learn to feel better with it."

The value of the clash and confrontation which is experienced through interculturality can have different causes. Segbars notes that the arrival of an artist in another country, for example, is important in the link it creates with the context in which they find themselves. Contacts are made which could have a snowball effect for the less privileged country. You have to be conscious, Hagoort asserts, of what you bring with you when you go to less privileged countries. Vanhoe adds: "The first time that I was in Beijing, 2000, I didn't have any documentation with me. I thought, I'm coming to see what you're doing. Then I had to present, obviously, as it was an exchange, but I'd never considered that my work would be valuable. I was there to understand their work. But obviously, you share." Furthermore, vanhoe emphasises that internationalisation directly undermines one's own idea of good art, and thus defines its deeper and very significant role." Roland Vázquez also writes about that. *see nl.japsambooks.nl/products/vistas-of-modernity He explains that *Contemporary Art* is modern art and that this not an intention, but rather a tool of the Western humanist person." It allows the experience of having freedoms and shows the relativity of the dominant art canon.

In extension of artistic and social perception, Bengtsson remarks within the context of the Royal Academy of Art, The Hague, that learning from the expertise of another does not necessarily imply the expertise from another culture. Artistic exchange in thinking about and making art, can imply expertise, culture, crafts, technique or medium, to associate culture (what we take with us) and art with the other, and accordingly our artistic and social values. In other words, internationalisation, aside from being a dialogue between cultures, also becomes a dialogue

between attributes and artistic expertise. For Bengtsson, the acknowledgement of the perspective offered by a place is of considerable importance in its activities. The Royal Academy of Art currently offers Western art education. By making this perspective clear, artists can take a position (against it). Here, interests become transparent by the clearly communicated ecology and identity of a place, so it can be responded to and discussions can openly take place. All in all, sensitivity to what is happening, what you want to be as place, and your position as artist, are important conditions with internationalisation.

Informing Van der Beek's view is the fundamental level of equality which the Camino aspires to, based on the vision of being part of an international community. It's about understanding each other, however different, as if we were more or less the same within the context. Van der Beek observes that this reveals an interesting paradox. On the one hand, you leave difference behind you, on the other, differences are out in the open and you learn from them. What is it like, say, to live in Brazil, or to view the situation in Europe from the Czech Republic? In her opinion, stripping yourself within this context and starting from the same position, is essential to the equality experienced. I'd like to relate this effect back to the contemporary art canon analysed earlier, in which the stripping of one's own position is essential to vanhoe. It means that we have to acknowledge that art is mainstream here, instead of being an alternative player on the margins of society.

"Looking at the internationalised world, [we find] our own tone of voice important, but then, in regard to what and whom?"
— reinaart vanhoe

ESSAY 2 B. EN

Art thrives within a neoliberal system, but from this transparent acceptance of self-identity other positions can be taken which, according to vanhoe, we have forgotten to explore. This also implies that we have to ask the critical question within the AIR, as raised by vanhoe: "In your practice you have the choice to open your door all day, or close it. Looking at the internationalised world, [we find] our own tone of voice important, but then, in regard to what and whom?" His example are the museums: full of fine arts, and with it, *full*. As does Twaalfhoven, vanhoe suggests that the challenge is to look for connections with other layers and languages, and to find a language which you share with different people, so that new networks can be formed. "When we see practice as [process], in which people are engaged before you and after you, the individual, autonomous position is rather relative and restricted," he observes. Likewise, Khalidi too advocates for the relativisation of autonomy as inviolable, also regarding the international position of the Jan van Eyck. "The academy is very focused on the Netherlands, very regional. And yes, very white. [...] Is the Jan van Eyck really international, and what does international mean? For me it means: internationally Western in particular," he explains. The research of the Jan van Eyck Academie therefore doesn't focus on what they already are, but on the issue of what to do to be there where they are not. As with Bengtsson, an awareness of the western-centric focus or the acknowledgement that this is not where you want to be, is necessary for transparency; making visible the blind spot.

2

Relational autonomy

Regarding the statement by Jeanne van Heeswijk: 'Artists have to start considering this [to be very conscious of when and where we are being privileged in relation to others] instead of just carving out a nice position for themselves.'* Van Heeswijk, 2016, p. 50 Under which conditions would you as artist want to go to an AIR now and in the future? What are the artistic, underpinning values for reciprocal relationships between cultures?

According to Van Heeswijk, the formation of relationships between cultures is based on affinity and wanting to find groups of people you think make interesting work. In reciprocal relationships it's not about 'I do something for you, then you do something for me', as Hagoort puts it, but rather, taking interest in each other and asking the question: where do you come from and can you bring something with you? When we don't make international contacts, we're missing the same as we do now that we can't shake each other's hands. The immediacy of physical contact in a local context as referred to earlier, is for both Hagoort and Gielen an essential part of the visual arts. This has to do with presence and closeness which Van der Beek also recognises in the light of the Camino. Coming together in a physical context, the individual is (partly) left behind and becomes part of a larger bunch. It's about an experience that emerges when you let go of your external 'image' and discover how you resonate within the collective. "It's not even so much that you meet someone else and say: 'O, is this how you do it in Brazil? I never thought that we in the Netherlands…', thus, that you discover something through contrast, but rather, that by

ESSAY 2 B. <u>EN</u>

[partly] leaving yourself behind, you find the collective back within yourself and grow from this."

While on the one hand, relationships may be formed through affinity and mutual interests, just as in a friendship, as Gielen describes above, we also seek conformity and security in international networks. "Take Michelangelo Pistoletto who said in the University of Ideas [UNIDEE, a program for arts and social change]: 'social engagement is required here, themes will be set and you are expected to be able to relate to these', with all the subsequent discussions and quarrels. I found it interesting, the statement: 'this is the place of dissent', not of consensus. But, again, artists may be consciously looking for that, that dissent. It's also a kind of affirmation of your own [attitude]." Gielen concludes that organisations which are as heterogeneously put together as possible are also the most resilient. The combination of different professions, not only artists, could be the wealth of the AIR, he believes. This means being open beyond art, ensuring that the residency is integrated in the local community, such as with the local farmer or the cafe on the street corner. The AIR which isn't a UFO, but is supported locally. "On an urban level, you always need to look at how things could be complementary. In *Mobile Autonomy: Exercises in Artists' Self-Organization* [a 2015 publication, co-written with Nico Dockx] I partly devised that biotope. It must always be guaranteed and residencies can undertake part of that, but there must be balance in this biotope," Gielen says.

When AIRs speak as a network, it's important to do things from a common ground, and not to speak of 'artistic identity'. An individualistic attitude by entities directly associates the artistic identity with the social identity, while

'together, we want to' requires a different attitude than the clash between egos of artistic identities which can obstruct 'together'. To be able to facilitate mutual discussion between the AIR and regional players—Gielen mentions museums, art spaces and even the commercial galleries as possibilities—it is important not to be afraid to wager in one's own artistic quality as a place. Exactly in collaborations this will be retained. Twaalfhoven asserts that if we think from the basis of connections, not specialisms, we can emit a political voice: "It was [for example] super to build a kind of enormous, worldwide economic [infrastructure]. But, and that's why I say 'super', we profit from this in the West. It's less 'super' for people who are being robbed of their raw materials." Now that this perspective no longer provides a future, because we are exploiting the earth, Twaalfhoven envisions, just like many other interviewees, an important role for the artist. However, not when an engagement with current issues is seen as damaging to artistic autonomy. This has to be relinquished, precisely because the idea of autonomy within contemporary art constitutes a perfect breeding ground for a neoliberal market. Twaalfhoven argues it ensures excellent production, which in turn means money (sometimes) and reputation (more often). He proposes a fundamentally different model based on making contact with the local context and not on prestige and rank: what is happening *here*?

When, as Khalidi and vanhoe also agree, the answer to the wider issues around autonomy, isn't frantically looked for in the outsourcing of production, then we'll reach the point of communication and create a space for new narratives. In his book *Also Space, From Hot to Something Else* (2016) vanhoe

expands on the concept of autonomy in the West from his own experience in an art initiative in Indonesia. [*Vanhoe, 2016] This prevailing idea of autonomy is also highlighted by Khalidi in the policy plan he wrote for the Jan van Eyck Academie towards 2030. "When you look at the organisation, the stakeholders themselves, the partners, the advisory board, you could say that people were 50/50 for and against. Most people were afraid of the loss of autonomy, because the arts have to adapt themselves [to something larger, the climate]. And I said: 'The arts are already adapting themselves.' You think you are free, but you're not free. The arts thrive within a system. The larger issue is really: what is autonomy? In reality it thrives in a system, and this is Eurocentric, from a western neoliberal perspective."

"What is autonomy? In reality it thrives in a system, and this is Eurocentric, from a western neoliberal perspective."
— Hicham Khalidi

The only way to eliminate the individualistic 'foot on the ladder' in that same discourse is to think beyond the 'rat race', as Segbars puts it, and to place the aforementioned intrinsic value of producing art at the forefront, and not the evaluation of art within this developed Eurocentric system. The same is argued by vanhoe, who refers to the internationalisation and the instrumentalisation of autonomy at the documenta (the five yearly exhibition in Kassel). Production colleagues are ready to carry out the ideas of the artist, "while that is not actually a service, but an artist's group—what are you doing?" vanhoe says. "That can be explored in consultation [and from the collective]. Instead production is ready with: 'What do you need, when

can we ship, and how many square metres do you need and what buildings can we clear out?' And that's it." The clichés of autonomously incorporated thinking are here exposed. Addressing, both institutionally and informally, the idea of autonomy in the arts as an intractable ideal, would afford the chance to listen to a new narrative, or even better, a new direction, and thereby, Khalidi emphasises, take the means of production in hand again: interrogating the context in which art thrives. This is what the next essay discusses in more depth.

ESSAY 3

A.

ESSAY 3 A. Artistic production: *intrinsic* production

1.

(Trans)locality

Translocality implies working more from the local, yet to be engaged with global issues such as the Covid crisis itself, but also agriculture and energy. Does internationalisation change by centralising the local more, with the focus on a sustainable future?

According to Van der Beek the local has not only increased this year, but has also gained in depth. Van Heeswijk, who had always advocated for this, agrees. Local centres are highly significant in their practice, which can then be placed in international networks. "An AIR doesn't necessarily have to be intended for people very far away," Hagoort notes. "It can also be in the same street. M4gastatelier* see m4gastatelier.nl once invited residents from the building where the studio is located. This worked brilliantly, because the place has contacts with different places and attracts a different public. One can arrive in a totally different world by going to Rotterdam-Zuid or Groningen. It doesn't necessarily have to be about big distances or big cultural differences. It could be, but it doesn't have to be." Like Van Heeswijk, Hagoort too acknowledges the value of local clusters. By setting up a translocal cluster with small distances between Brabant initiatives, often modest and artisanal in nature, individual characteristics emerge which Hagoort associates with the Ruhr region: "There are quite a few smaller centres who with AIRs are able to bring people in outside their own bubbles and make connections."

Within these connections places don't have to have the same aim but, Van Heeswijk stresses, they do have to be prepared to be in continuous dialogue. In contrast to a competitive model, a collaborative model places exchange at its centre: together creating contacts and forming a cluster of strong regional hubs. Within this locality, which as context could also become navel-gazing, it's useful to hold conversations in different ways and to be challenged in this. Here, Van Heeswijk recognises the value of the international artist, who as guest helps in seeing the local from a larger perspective. Internationalisation allows the understanding of what is happening in the local by seeing how this is also is an issue in other places in the world, in other configurations. According to Segbars, attention to the local is valuable because origins become more immediate. The growing focus on the local scale is a globally observable trend; with increasing solidarity and understanding for local conditions and forms of production in art. In contrast to this global trend, according to Segbars, the international is for many people locally not present, as shown by the problematic gap with the international art markets and networks. The question seems to be how the international on the one side—the 'tourist' who is everywhere—and local embedment on the other—the 'vagabond' who is embedded and is nowhere else—could go together. As the philosopher Maarten Doorman already said in 2020: "The tourist is everywhere, the homeless are nowhere." [*Doorman, 2020]

"In many places in the Netherlands there's still that old idea of 'you sit in your room, a [work of art] somehow appears, and that's it.'"
— Jeanne van Heeswijk

According to Segbars, there are observable and necessary shifts. The West is becoming less important, but we still consider ourselves too important. "We will also have to learn learning the other way around. And in that sense our system is becoming increasingly less attractive: there is increasingly less place for artists in our system, who can make a living from their profession in the West? We need to get rid of the notion that we are much richer here, in order to learn to relate to other regions." Van Heeswijk too ascertains that the making of art is in itself a process where different perspectives and realities are in dialogue with each other. "In many places in the Netherlands there's still that old idea of 'you sit in your room, a [work of art] somehow appears, and that's it and it's hung in a gallery and it communicates.' I find it amazing how persistent that image is." The way we look at art, as a linear model with a linear canon started by Duchamp, says Khalidi, rests on a misunderstanding. The intersection, during this pandemic, of climate change and inequality shouldn't entail the theming of this within institutions, but rather acknowledging core issues, urgently required Khalidi feels. He, and many with him, argue this demands a radical change in everything we do: from the way we prepare our food, to whether we still travel, to how we travel, and what would happen if we don't have to exhibit and show continuously, and so on.

In an interview with Hicham Khalidi, Domeniek
Ruyters (Metropolis M, 2020) *see metropolism.com/nl/
features/40595_new_directions_2_hicham_khalidi asks about the
focus of a residency on the individual artist.
Khalidi proposes a more collective form which
is less focused on production. How do AIRs as
hybrid organisations play a different role in this
development than do the big players/institutes?

Where the official circuit is more geared to production objectives—mindful of profile, visitor numbers
and income—these aims are less important in the
sub-circuit in which AIRs operate. According to
Segbars many artists find this space valuable for
experimentation, but it also remains a breeding
ground for something precarious and vulnerable,
because it could risk poor conditions for the artist.
He does note changes in the official circuit, men-
tioning de Appel *A center for contemporary art in Amsterdam as an
example. After they lost their funding from the
Amsterdam Council, they had to downsize consid-
erably and reinvent themselves. "And at institutes
such as the Rijksakademie van beeldende kunsten or
the Stedelijk Museum Amsterdam, you notice that
there is [consideration for] what exactly the values
are artists believe they are engaged in." Segbars
views this change as something positive, given the
absurdity of the above mentioned rat race in the
arts, so incongruous to what artists are doing. Where
productivity is predominant in this race, artists are
critical of production (pressures) and institutional
rationales. Like Khalidi, Segbars poses the topical
question: How do you see institutes? Is it a hub of
38 resources or a monopolisation of a career? It could
39 be this, but consideration needs to be given to

what occupies artists, and it should not function as a control booth in a coercive production chain.

Hagoort too acknowledges the more informal position of the AIR, but argues that it can also be seen as a trajectory into the official circuit. The AIR, he believes, will receive more value as an alternative catalyst of unique players with the more coherent embedding of art in a larger whole. In that light, Bengtsson too regards collaborations as a positive way to complement each other. "These days you need support from each other in order to take risks and also to get feedback," she emphasises. For Twaalfhoven, collaboration is a redress to give the centric art economy a different register.

Precisely within a world which is confusing and insecure, as it was this year, art has a platform. Within the more conventional streams, Twaalfhoven notes, there is often not much confusion or insecurity at all. "I'm super happy with the platforms, as a kind of lab in which [to experiment]. But when your test succeeds in the lab, you want to bring that outside. Just like the vaccine." Art markets, galleries and platforms are here seen as conventions of an obsolete model, which Khalidi typifies as Eurocentric and to vanhoe represents a neoliberal world: something one assumes just 'is' but, as extensively discussed, is in fact based on Western norms. "Through this, a lot of language and speech disappears," vanhoe says, elaborating on the change which many call for in this text. "When you look at the Kick Out Zwarte Piet, this pushes for change, necessarily, and then very slowly something changes structurally. The risk with the BLM movement is, I think, that it's handled very incidentally: we'll work it out in the institutes or within the thinking of the institutes.

ESSAY 3 A. <u>EN</u>

However, the question of whether changes are made can be [related to] where they are made: on an institutional level very turgidly, but I think on the informal level definitely. I always give an example that looks to the future positively: look to the younger generation, how they go out, how they dance, in Rotterdam I see few differences. There, BLM just happens without it being an issue or a theme."

The question to the AIR remains: on what do you rely? On an older economic model of arts in which you contribute, in which you are a player? Or do you contribute to change? The latter would ask that other values are given a central place. According to Twaalfhoven, Segbars and Khalidi, the intrinsic production values on which identity and access to place rely, are an intrinsic part of the larger concept of internationalisation. Therefore, in the local context of physical presence, ample communication is needed to perceive the old machinery—in the words of Twaalfhoven—of gears in a system, as dysfunctional. Aside from the struggle for financial reward in the arts, which he sees as necessary albeit part of the old model, it's essential to explore which issues to join and which position to take within this. "We exploit the earth and there is no longer any give in it. This means that a new narrative is needed. A narrative where you don't bring in all those specialisms. We need artists for that, but not if they also remain stuck in their own little gear," Twaalfhoven says.

The intrinsic narrative—critical toward and responsive to the external—could indicate the way, once individual production becomes central again. To Khalidi, this goes together with the issue of what you need in order to live, and to be an artist. "Production could mean the local production of food,

but also of ideas. We form people here, [within the Jan van Eyck Academie] not artists going for the next rung of the ladder." It may be concluded that in the informal circuit where internationalisation takes place between cultures, the structural monoculture can be dissipated by identifying the dominant Euro-centric thinking in the arts in the local context as too linear. In this, artwork offers an opportunity to remain in dialogue, vanhoe contends, though that is not the end goal. "It is important that [the artwork] is not seen as the sacred expression. A good idea is only a good idea: it has to be tested, with your neighbour, friends, fellow artists, or the baker. Then it can grow to something. And that is also what the AIRs could consider: why not a doctor or carpenter in the guest studio? That is perhaps more suitable than the mentality of a fellow artist."

ESSAY 3

B.

ESSAY 3 B. Artistic production: *intrinsic* production

1.

Internationalisation and the AIRs

What does the above mean in concrete terms for local relationships and collaborations? Can one only function as 'international' if one offers a broader network of collectivity in the region?

For many artists a residence is an alternative income stream, Van Heeswijk observes. Accommodation, production funding and a stipend are often the compensation a resident receives, which artists readily use as a supplement to their practice. Intrinsically the AIR, apart from being important for livelihoods, is also the place to meet other artists and people outside the arts, in a local context. Hagoort observes how valuable it can be *to be* somewhere for a longer period, not as a tourist, but to come into contact with the place, people and surroundings. By extension, vanhoe emphasises the value of internationalisation to AIRs and the proliferation it offers to and for one's own speaking as well as the speaking not understood or seen earlier. The conditions of the place where you are, forms the basis of what you experience. For Van Heeswijk, the less real life-based exchanges in practice due to COVID-19 remain an attenuation. Immersing yourself in the conditions of the place you go to remains absolutely valuable. AIRs have an indisputable and irreplaceable value in this encounter.

Comparable to Hagoort's reciprocity principle, Van der Beek approaches being together in a place from the concept of hospitality, wanting to be together in a place. Hospitality is shown to be a basic principle for the experience of equality which is also

fundamental to the pilgrimage. As with the AIR, the pilgrimage can offer a space in which time slows down, creating the conditions to be able to enter into an engagement towards and with each other. Sheltered from the production output which the art world outside of the AIR expects, as demand instead of supply model, the AIR is therefore particularly valuable for engagement rooted in a local context. In the pilgrimage too you are, the whole time. When you get up, go shopping, with whom you talk after you've finished working, and with whom you walk on the street: it's a complete state of being in another place. What this leads to, is open. The host therefore cannot have any expectation regarding the output of the work of the resident, mutual respect is fundamental in this artistic process. As stated before, intrinsic value is essential in this process.

If initiatives arise from the need to obtain a space which have other economic bases in arts, then Segbars notes, it would be sensible as AIR to consider the intrinsic value of art production. Mutual discussions may be held on this, because organising and maintaining a residency requires political clout, a condition places share with each other. You are a place, but for what do you keep open the required space as AIR? According to Segbars that is already a political question which, when looking at the precarious future—less room for initiatives within an economic rationale and an increasing pressure which makes existence more uncertain—will only become more essential. It's precisely the awareness of the increased pressure which makes political coordination between AIRs important, in terms of their own values.

The intrinsic values of AIRs are also raised by Khalidi. Running an AIR is, aside from the

production and showing of work, related to the
questions of what this 'showing' means and for
whom, as well as from where we obtain food and
energy. They are matters related to reserving and
taking up space. The Jan van Eyck would like to
become completely climate neutral by 2030, not
only in the building and food catering but also
within its collaborations. Gielen agrees that this
total approach, instead of a thematic approach, is
crucial in an organisation for ecological as well as
social reasons. Local embedment plays a big role
in this and will only increase, while the position of
an artist in the local industry is foregrounded. In
this regard, vanhoe's remarks on the possibility of
exploration of the own place in dialogue with guest
artists and localities may once more be cited. As
Segbars also notes, the running of an AIR demands
considerable energy from the host, but to vanhoe
it may release more energy when it doesn't entail
maintaining a guest, but rather the exploration of
the place together with the guest artist. Initiatives
by the AIRs (hosts) thus become part of the process
of designing, and don't just facilitate the temporary
guest artists (residents) in an ongoing program. It
is the AIR which can continue to reflect on the how
and why, both state. In this way internationalisation
can also be 'tested': not by way of wanting 'to embed'
a series of international artists, but by exploring it as
an issue. When the AIR is seen as an ecosystem, not
to disrupt internal workings but to nourish it, then
the focus is on the mainspring of the place itself. The
AIR in its entirety isn't regarded as a service which
is offered to disparate artist practices, but rather as
mutual building blocks with which the organisation
and artists play.

ESSAY 3 B.   <u>EN</u>

ESSAY 3

C.

With Brabant AIRs as a case study in these nine
conversations, Hagoort mentions that the residencies are accommodated at a relatively short distance
and that an ideal playing field with other biotypes
can be looked for when the local context of the
AIR is recognised as important. Hagoort: "A guest
studio makes sense particularly when it is part of
a network of other places, creating interest, not
only among other studios, but also academies and
museums. Everyone wants to do their own thing,
that is the dynamic and you have to leave it that way.
You can't decide for another what to do, but if you
manage to create interest for each other, and to meet
regularly, and open up your program to each other—
not only in your own place but also in museums or
the academy—then you can achieve a lot." In this
locality both Hagoort and Twaalfhoven refer to the
spiral or circle shape, in preference to the pyramid
structure, described earlier by vanhoe. A pyramid as
a shape has an increasingly broad individual basis:
people see you, appreciate you, buy your work, follow
your newsletter and Instagram and so on. "I believe
that we can achieve another form and come to see
that network much more as a circle: [as players who]
relate to each other," Twaalfhoven indicates. In this
way, another, more active role of the public is explored,
and the AIR may be seen as a learning and open network. From the own dynamic of a place, Hagoort says,
we can come together locally and programs can be
opened out of interest in each other.

To him it is essential to come together within the entire art landscape, the AIR being one of the areas. What possibilities and space do you offer each other, and what is needed for that? Again common ground is important in this: it's not about delving into each other's programming, but rather to look at ways to stimulate the entirety, to come to the table without viewing collaboration as a sign of coercion. Collaboration is not a prerequisite for funding, rather, it is something that happens, already now, but for which time and opportunities need to remain available.

To approach the above issue together in a regional environment, Gielen says, is important in order to come to a substantial exploration beyond PR and optics. He, as does Khalidi, recommends a total approach. Local embedments are ecologically as well as socially crucial. Artists in Brabant, for example, can form local connections by engaging with the textile industry and crafts. Precisely because this province is not in the centre of the art world, its geographical position can be dedicated to that identity. From these substantive and intrinsic connections, resilient relationships can be created with localities elsewhere, who share affinities in those subjects. Travel then becomes interesting and important on substantive grounds, Gielen remarks. Twaalfhoven too mentions the possibility of 'the detail' which the artist is adept at observing. The global climate crisis can be explored locally precisely with the focus on the details which play out on the local level, for example in collaboration with agriculture and farmer. "We have to deal with insecurity and change, such as in agriculture where much will change in the next 10 to 20 years. And that applies to more subjects. If [such issues] are central to a residency, then you get fascinating exchanges."

"We have to deal with insecurity and change, such as in agriculture where much will change in the next 10 to 20 years."
— Merlijn Twaalfhoven

The connection local-global provides the AIR with a translocal and ecological basis. "Brabant is not the centre of the art world and that's a good thing. Many artists have the acute need not to continuously go round in that centre. In its geographical location alone [Brabant can provide that]. The strength of the identity of residencies has to play into this: not to be yet another networker, like the Rijksakademie. On the other hand, in Brabant there are connections with schools, the Textile Museum, the roots [...] I think that the DNA of Brabant is in the rural, the agricultural community and in its textile heritage," Gielen states. It's valuable to connect local issues which take place on the level of detail to the issues of places elsewhere, and explore these through shared and intrinsic affinities. "You can commit yourself to this, and raise a profile. These are interesting and at the least, substantive reasons why you would still travel."

In conclusion, an international artist in the local context of Brabant, Hagoort says, can be very important for the artistic climate. According to Hagoort, the support of Dutch funding bodies in relation to internationalisation is primarily focussed on the support of Dutch artists abroad. Knowledge and implementation organisation Kunstloc Brabant and BrabantStad, focussed in their project de Proef-tuin Internationalisering (an experiment in Brabant to realise internationalisation ambitions) on the re-ception of an international artist in Brabant. The think-ing 'the Netherlands must be promoted', can be done

differently, Hagoort contends, and this project in Brabant is a thought-provoking example of this. Khalidi too cites BAK *see bakonline.org as an interesting organisation which supports residents in their own countries, an approach in line with Hagoort envisioning the Jan van Eyck as being partially elsewhere. According to Khalidi, the AIR is basically a studio with four white walls and a chair, as it can certainly be described in the context of the Jan van Eyck. However, the development of work does not only take place in the vacuum of the studio alone. The studio and integrity of the artist are essential and must be retained. The artist is there for themselves and decides, but is placed in a new context. As this section amply shows, the resulting dynamic can continue to be explored by organisers and initiatives. Aside from the studio, the Jan van Eyck Academie offers a dialogue with fellow residents and different (research) labs within the academy itself and in the surrounding area. Within smaller AIRs, a symbiosis can be formed in spiral-shaped connections and in exploration with local players and places. Artists come to do a residency, while the initiators, at the same time, want the residency to continue. The intrinsic value of making art is unconditionally shared. This remains the greatest value of the AIR to the participants in this research. According to Khalidi, the pandemic has shifted the focus from exhibiting to putting urgent topics centrally, and this means that art production can be drawn into question. Now that it's no longer possible to exhibit, the intrinsic motivation of artists, which is at the centre of the AIRs, stands in the spotlight. Out of the diversity of AIRs which advance and pursue these values together, the meaning of internationalisation can

be openly explored in line with the possibilities and suggestions put forward in this essay.

Bibliography

Boon, E. (2020, 2 June). *Translocality: artistic internationalisation after the corona crisis*. DutchCulture. https://dutchculture.nl/en/news/translocality-artistic-internationalisation-after-the-corona-crisis

Dijksterhuis, E. (2020, 30 March). *De Corona-archives zijn een collectief logboek van deze rare tijd*. Het Parool. https://www.parool.nl/nieuws/de-corona-archives-zijn-een-collectief-logboek-van-deze-rare-tijd~bd5ea333/?referrer=https%3A%2F%2Fwww.google.nl%2F

Doorman, M. (2020, 26 May). *Maarten Doorman on Translocality in the Arts*. Dutch Culture. https://dutchculture.nl/en/news/maarten-doorman-translocality-arts

Van Heeswijk, J. (2016). PREPARING FOR THE NOT-YET. In A. P. Pais, & C. F. Strauss (Eds), *Slow Reader. A Resource for Design Thinking and Practice* (pp. 43-53). Amsterdam: Valiz.

Vanhoe, r. (2016). *Also-Space, From Hot to Something Else: How Indonesian Art Initiatives Have Reinvented Networking*. Eindhoven: Onomatopee.

Colophon

APE #204
What is a good world?
Internationalisation in
a post-Covid society
Liza Voetman

© 2022 Art Paper Editions
ISBN 9789493146969
www.artpapereditions.org
www.lizavoetman.com
First edition of 600 copies
May 2022

Author: Liza Voetman
Text editing and proofreading:
    Floor van Luijk
Translation and proofreading:
    Karlien MacNamara
Design: Lien Van Leemput for 6'56"
(www.6m56s.com)
Printed in Tallinn

This publication was made possible with
support from: Mondriaan Fonds, Prins
Bernhard Cultuurfonds, Amsterdams
Fonds voor de Kunst.

Special thanks to the Jan van Eyck Academie
for its participation and partnership in the
making of this publication.

jan van eyck
    academie

My thanks are due to all those who have
contributed to this publication, together
providing perspectives on the issue of a
good world during the many and continuing
crises. Thank you, Jeanne van Heeswijk,
Pascal Gielen, Hicham Khalidi, reinaart
vanhoe, Jack Segbars, Merlijn Twaalfhoven,
Erik Hagoort, Suzanne van der Beek and
Cecilia Bengtsson.
(Liza Voetman, Tilburg, 2022)

This publication resulted from earlier
research into Internationalisation which
was posted on airbrabant.nl in the period
January – June 2021

EN